UM AMOR EM MOVIMENTO

Fernando Moraes

UM AMOR EM MOVIMENTO

Filosofia do sentimento

Novas Páginas

1ª Impressão — 2018
Impressão e Acabamento Paym 080318

Produção editorial
Equipe Novo Conceito

Moraes, Fernando
Um amor em movimento / Fernando Moraes. – Ribeirão Preto, SP : Novo Conceito Editora, 2018.

ISBN 978-85-8163-870-6

1. Ficção brasileira I. Título.

CDD-B869.93

Índices para catálogo sistemático:
1. Ficção : Literatura brasileira B869.93

Novas Páginas
Rua Dr. Hugo Fortes, 1885
Parque Industrial Lagoinha
14095-260 – Ribeirão Preto – SP
www.grupoeditorialnovoconceito.com.br

Para as minhas meninas, fonte presente
da minha inspiração.

Há sempre alguma loucura no amor. Mas há sempre um pouco de razão na loucura.

Friedrich Nietzsche

O encontro dos olhos

A vida é a arte do encontro, embora haja tanto desencontro pela vida.

Vinicius de Moraes

Joan Garcez acordou cedo naquele dia. Tinha ainda muitas tarefas burocráticas a realizar – preenchimento dos diários de classe, atualização dos planos de aula e demais atividades que iam além da sala de aula, nada diferente na vida de um professor –, e a secretaria da Universidade já havia lhe cobrado o prazo de entrega. Sem conseguir terminar, tomou banho, arrumou-se e saiu correndo escada abaixo assim que percebeu que o elevador estava parado no décimo oitavo andar. Não poderia perder mais nenhum minuto, pois o coordenador do curso já andava de olho no seu péssimo controle de tempo.

Apesar de pertencer a uma geração que cresceu com a tecnologia, Joan não amarrava relógios de pulso aos braços. Preferia encontrar a beleza da vida ao acabar robotizado por causa da falta de tempo. Pior ainda, não se ajustava ao uso do celular. Os amigos e a família viviam reclamando das mensagens não lidas, das chamadas não atendidas e dos retornos a longo prazo. Definitivamente, era um jovem medieval no que diz respeito à modernidade e à tecnologia, mas, diferente da maioria dos seus colegas da área, que carregavam o estereótipo de "bicho-grilo" pelas longas cabeleiras e barbas por fazer, as roupas largas e chinelas, apresentava-se bem-arrumado, o que chamava a atenção para um filósofo.

Pegou o carro e saiu às pressas rumo à universidade. O semestre estava terminando e o calendário estava cheio de tarefas, sem contar a reunião para a qual foi convidado pelos alunos do curso de Direito e de Engenharia sobre um movimento que reivindicava melhores estruturas para os laboratórios, mais estágios juntos aos órgãos da justiça e contra os altos valores das mensalidades; e a sua escolha para fazer parte da discussão ajudaria na interlocução com a reitoria, uma vez que todos o respeitavam.

Joan decidiu fazer o caminho habitual, saindo do antigo bairro Paris-Londres, onde morava na área central de Santiago, um lugar com estilo arquitetônico europeu e sinuosas ruas estreitas de ladrilhos. Pegou a avenida Libertador General Bernardo O'Higgins, mais conhecida como La Alameda ou Alameda del Libertador Bernardo O'Higgins, a principal avenida da cidade de Santiago do Chile e que levava o nome do herói nacional. Ali, muitos turistas circulavam entres as estações de metrô e os pontos turísticos de um trajeto de mais de dez quilômetros.

E pra variar, ficou preso à lentidão do trânsito caótico, típico de capital sul-americana, com o som de buzinas e toda a movimentação de pedestres de um lado para o outro. Se tivesse saído no horário, possivelmente teria evitado todo o aborrecimento que o acometia atrás de um volante. Entre um murmúrio e outro solitário, aproveitou para continuar a leitura de uma obra poética de Konstantinos Kávafis, uma vez que não poderia avançar naquele engarrafamento que se perdia no horizonte.

Com um atraso considerável, parou o carro de qualquer jeito no estacionamento privativo dos professores. Pegou a bolsa surrada e, com ar esbaforido, subiu as escadas numa luta com os degraus, quase caindo diante de um grupo de alunos que já o esperava para o início da aula. O tema daquele dia era uma introdução sobre um dos seus autores favoritos, o filósofo Ludwig Wittgenstein.

– Bom dia, caros alunos – cumprimentou. E tão logo o fez, a animação ocupou a vaga da ansiedade que percorria seu corpo até então.

A filosofia para Joan era um deleite. Naquela aula em especial, quis abordar o conceito sobre a tão discutida "verdade". Escreveu no quadro a frase-chave de Wittgenstein, "o que não pode ser dito deve ser calado", explicando para os alunos que, para o autor, a verdade não se distingue de nossas maneiras de falar, ela é analisada em termos lógicos e linguísticos e deve ser abordada limpando-se o pensamento dos erros gerados pelo uso que fazemos das palavras.

Entre exemplos do cotidiano, Joan conseguia provocar o imaginário daquela juventude, com perguntas que, da mesma forma, atormentavam Wittgenstein na construção do seu pensamento:

– Será que a utilização das palavras corresponde de fato à realidade? Como podemos tomar as palavras por realidades, se elas não passam de maneiras de dizê-la? Como identificar esses equívocos? Seria possível extingui-los ou atenuá-los?

Joan passou a discorrer de forma peripatética, andando de um lado para o outro da sala, refletindo junto com a turma as novas possibilidades de produção de conhecimento. Vez ou outra, sua mente divagava, levando-o a pontos curiosos do seu passado, como na oportunidade em que discursou como paraninfo dos formandos do curso de Direito. Considerando a especificidade da formação e com tantos doutores, promotores, juízes, desembargadores e advogados renomados no quadro de professores, surpreendeu-se com o convite dos alunos. E ele, um filósofo, motivado pela honraria, proferiu as seguintes palavras:

"Caros alunos, assim como Berthold Brecht, tenho três grandes paixões que conduzem a minha vida: a primeira, uma imperiosa necessidade de amor; a segunda, uma vontade sem limites de aprender sempre; e a terceira, impulsionada pelas duas anteriores, a de estar ao lado das minorias que tanto sofrem neste mundo, mesmo que muitas vezes elas estejam equivocadas. Que vocês façam do Direito um instrumento que vai além da justiça das leis, mas que ousem e transformem suas ações em todas as áreas de atuação, sendo no Direito ou fora dele, em significantes sociais, de pertencimento, de tolerância com o que nos é diferente e o mais importante, sejam felizes fazendo os outros felizes!"

Tanto naquela oportunidade como nas aulas, talvez pelo fato de ser habilidoso com as reflexões, Joan fazia com que os alunos se sentissem singulares e acolhidos, transformando a sala de aula no lugar mais especial do mundo. Com ele, uma aula de filosofia deveria sair do formato meramente teórico para o cotidiano dos alunos, transitando por relacionamentos, viagens, problemas de família, moda, entretenimento, mundo virtual e outras temáticas, associando a filosofia a cada uma delas, transformando a complexidade do mundo intelectual com a vida real em algo simples e compreensível. Sem dúvida, despertava em seus alunos a vontade de aprender, de conhecer, de sair do conformismo em busca de dias melhores.

***

O tempo voava, e logo o toque desenfreado do sinal anunciava o fim da aula e avisava sobre o intervalo. Joan seguiu para a sala dos professores e, enquanto caminhava, sentia novamente a expectativa sobre a novidade da reitoria, no fim daquele semestre, de que os docentes de todas as áreas deveriam se reunir na mesma sala para trocar impressões, mesmo que não dessem aulas para os mesmos cursos. Embora muito criticada por uma parte dos colegas que não viam sentido nisso, Joan gostava e aprovava a ideia.

Entrou na sala cumprimentando a todos com um sorriso. A cada roda, parava para uma troca de apertos de mãos e abraços. Passou a maior parte do tempo falando com as pessoas e já era hora de retornar para a sala de aula. Resolveu pegar um café, quando os colegas se agitavam em direção à porta de saída.

Deparou-se, então, com uma professora tentando sem sucesso operar a máquina de café. Ela parecia irritada, deixando escapar em voz alta alguns murmúrios. Joan gentilmente se ofereceu para ajudá-la, e ela, sem nem olhar para ele, consentiu apenas balançando a cabeça. Em silêncio absoluto, com a sala já vazia, ele acertou a medida de café e apertou um botão com um adesivo no qual estava escrito "aperte aqui", que, ao ser notado, fez a professora, vestida toda de branco, esboçar um sorriso sem graça para ele.

– Como que não vi isso? A pressa é realmente inimiga da perfeição – disse ela.

Joan, com cuidado para não deixá-la constrangida, também sorriu ao responder:

– Nem me fale em pressa, ela me persegue. Aliás, essas tecnologias às vezes nos confundem mesmo. Eu, por exemplo, sempre atinjo o ápice do estresse com as máquinas de refrigerantes espalhadas pelo *campus*, fico enlouquecido com todos aqueles comandos de escolhas.

Ela sorriu, parecendo mais tranquila e, com o desejado café já em mãos, agradeceu pela ajuda com a máquina. E foi saindo em passos ligeiros, tentando disfarçar a gafe de minutos antes.

Joan ficou ali mais um tempo. Tomou outro café e ficou lembrando-se de como era atraente a professora que nunca tinha visto na universidade. Deduziu pela roupa que devia ser médica, dentista ou enfermeira, considerando os cursos que existiam na área de saúde daquele *campus*.

Percebendo o silêncio que pairava no ar, se deu conta de que todos os professores já estavam na sala de aula e saiu correndo para retornar à sua classe. Os alunos estavam acostumados com ele que entrava na sala já discorrendo de onde havia parado, e aos poucos o alvoroço da juventude se transformava em concentração total nas aulas daquele distinto professor de filosofia.

Assim, ele terminou mais uma jornada de trabalho, apenas com uma diferença: enquanto arrumava o material na bolsa, vinha em seus pensamentos os olhos escuros refletindo em sua memória. Afinal, quem seria aquela mulher que, em menos de dois minutos, ele tinha encontrado irritada e sorrindo, o que seria certamente fonte de processo criativo poético para ele? Joan era um poeta por essência, apesar de conceber a poesia mais pelo olhar da vida para torná-la mais bela, do que pelo romancismo geralmente atribuído a esta literatura. Procurava o tempo todo na filosofia o seu lado sentimental, vendo beleza onde o mundo aparente só era capaz de projetar imagens ruins. Fechando a bolsa, foi em direção ao estacionamento. Para variar, a sensação de que estava esquecendo algo o perturbava, e vasculhando os bolsos em busca da chave do veículo, lembrou-se de que a deixou em cima da mesa dos professores, enquanto tagarelava com um e outro colega na hora do intervalo.

***

Joan acelerou os passos antes que a sala fosse fechada pela zeladoria. Sentiu-se aliviado ao ver que a chave estava no mesmo lugar em que a havia deixado, e não resistiu em tomar um último cafezinho. Ficou ali por uns minutos olhando para aquela geringonça que em segundos moía o café e prontamente já se tinha uma xícara quentinha. Sua imaginação foi longe ao se recordar novamente da expressão de irritação da professora de branco diante da máquina, mas interrompeu o delírio e voltou à realidade assim que se lembrou de seus fracassos amorosos, em especial, seu último relacionamento de três anos, que, após o término, deixou-o completamente focado no seu pós-doutorado.

Quando já sentia o paladar do café frio na xícara, viu o zelador entrando na sala avisando que desligaria as luzes dos corredores. Joan o cumprimentou com um aperto de mãos e saiu rumo ao estacionamento, com a certeza de que não havia esquecido mais nada e que poderia, enfim, ir embora.

Quando chegou ao estacionamento, só restavam dois veículos, o seu e o de mais alguém que, como ele, certamente esquecia algo ou deixava alguma coisa pra fazer depois das aulas. Abriu a porta do seu carro e deu a partida. Antes de sair, de longe avistou uma mulher de branco vindo na direção do outro carro. Disse para si mesmo:

– Não é possível. Será que é ela? Santo Deus, é muita realização para um dia só.

E quando a pessoa foi se aproximando, ele já não tinha mais dúvida: era a professora cuja pele alva contrastava com os lindos olhos e cabelos negros. Ela sorriu ao vê-lo e acenou com a mão num gesto de cumprimento. Joan, numa fração de segundos, pensou que precisava achar uma situação para saber quem era a professora e decidiu que aquela coincidência era uma oportunidade. Saiu do seu carro e disparou, com humor:

– Olá! Que bom que dessa vez não tem uma máquina de café para você se divertir.

– Nossa, nem me lembre! Com aquele aviso de "aperte aqui", só eu mesmo.

Joan se sentiu mergulhado no sorriso dela e entendeu que, mais do que nunca, era necessário saber ao menos o seu nome. Deu logo um jeito de começar um diálogo.

– Sou Joan, professor de filosofia do Departamento de Ciências Humanas. Você é nova aqui na universidade?

– Não, sou professora do curso de Medicina. Talvez não nos encontramos antes porque cada curso tinha sua sala de professores e agora, com essa novidade da reitoria em integrar mais os professores de áreas distintas, temos a chance de conhecer outros colegas. Gostei dessa ideia.

Joan, no anseio de saber quem era ela, não se fez de rogado:

– Você não me disse seu nome.

– Nossa, me desculpe. Martina.

– Muito prazer, professora Martina.

E de forma natural, começaram a conversar sobre as mudanças que estavam acontecendo na universidade. Joan, observador, ficou encantado pelo fato de Martina parecer muito serena e segura com as palavras. Até que ela se despediu, dizendo que ainda faria um plantão no hospital público de Santiago. E no momento de abrir a porta do seu carro, virou-se e falou:

– Então nos vemos por aqui, para continuar a nossa conversa. Gosto de filosofia.

Com um sorriso desconcertante, Joan respondeu:

– Que bom. O convite filosófico está feito, quando quiser estarei disponível.

***

Martina deu partida no veículo e seguiu seu caminho para o hospital. Pelo retrovisor, olhava Joan entrando todo atrapalhado em seu carro, ela achou engraçado o segundo encontro inesperado do dia. Na verdade, ativou a memória e se lembrou de que já tinha ouvido falar dele, o tal filósofo que encantava as professoras da universidade. Colegas docentes já haviam comentado com ela sobre o professor de filosofia que arrastava fama também pelo seu método de ensinar, com muita autenticidade, fazendo com que os seus alunos se apaixonassem pela disciplina e, através dela, pela vida.

Chegou no hospital e se apresentou diretamente na ala infantil. Mesmo cansada depois de um dia de aula, ela se revigorava no ambiente hospitalar, pois achava que este era o servir da medicina, o contato direto com o público, estando à disposição das pessoas enfermas que precisavam dela. Em especial um garotinho, portador de uma doença rara, que sofria demais ao ter os movimentos do seu pequeno corpo paralisando aos poucos. Rauzito estava internado havia mais de três meses; e nem todos os esforços dela e da equipe médica, que se revezava dia e noite, estavam encontrando uma alternativa para diminuir o sofrimento daquela criança.

Ela se sentou ao lado do leito de Rauzito e passou as mãos em seus cabelos. Ele apenas olhava para ela, pois, em função da doença, já tinha perdido a fala. Entretanto, era visível como o garoto se sentia acolhido e protegido com a presença de Martina. Os pais dele eram muito pobres e não conseguiam ficar o tempo todo no hospital, precisavam trabalhar e por isso apareciam apenas para acompanhar o tratamento. Sabiam que estava cada vez mais difícil combater o avanço daquela enfermidade, e ver um filho tão novo passar por aquilo era muito doloroso. Martina fazia questão de explicar tudo para eles, e por mais que muitos médicos tentassem não se envolver emocionalmente com seus pacientes, para ela, era impossível.

E chegou o fim daquele dia, com Martina já em casa no calar da noite, exausta após o duro plantão médico. Não diferente de Joan, que com seus hábitos noturnos, entretido com várias leituras ao mesmo tempo, se empolgava com sua tese de pós-doutorado. Ambos se preparavam para descansar, embora uma insistência temerosa da memória, em doses homeopáticas, trouxesse a lembrança do encontro divertido daquela manhã. Assim, com sorrisos silenciosos, foram dormir.

Filosofia do sentimento

Todo o desejo incômodo e inquieto se dissolve no amor da verdadeira filosofia.

Epicuro

Como de costume e depois de suas nada saudáveis (e nem recomendáveis) quatro horas diárias de sono, Joan estava dentro do carro, atrasado para sua jornada de aulas. Ligou o rádio e engatando a marcha para sair do estacionamento do prédio onde morava, se deu conta da música que tocava no rádio. Era uma melodia suave que convidava o ouvinte a prestar atenção na letra. Aumentou o volume e, num efeito rápido, fez seus pensamentos trazerem o semblante da mulher que havia conhecido no dia anterior. A letra da música falava de um sentimento estranho, que a poesia não daria conta e que talvez a filosofia não tivesse resposta. Ficou tentando analisar a profundidade da letra. Enquanto muitos pensadores passavam por sua cabeça, já ativava o processo criativo para, quem sabe, criar uma reflexão com os alunos.

E assim, ouvindo aquela canção, sentiu amenizar o estresse do trânsito da região central de Santiago, que todos os dias enfrentava, e chegou à universidade milagrosamente sem o costumeiro atraso. Aproveitou para passar na sala de professores para saborear o cafezinho e, lógico, não deixou de pensar na possibilidade de encontrar a linda professora, que há mais de dezoito horas morava na sua mente. Entrou confiante na sala, cumprimentando a todos. Seus olhos buscavam por toda a parte o sorriso gracioso, mas após um giro completo, teve certeza de que ela não estava ali. Colocou-se a saborear o café quente, agora com os olhos fixos na porta, na esperança de poder ainda alegrar o coração naquela linda manhã.

***

Martina era pontual ao extremo. Desde criança, sempre foi muito disciplinada com suas tarefas. Até para brincar era absolutamente regrada, a ponto de causar irritação aos colegas. Em todos os compromissos, chegava antes do horário para não deixar ninguém à sua espera, o que a diferenciava na medicina, pois o atraso de agenda era uma das características marcantes da sua classe. Na universidade não era diferente. Com o carro já estacionado, para ganhar tempo, aproveitava para fazer uma revisão no plano de aula daquele dia, enquanto saboreava uma maçã. Cumpria essa rotina rigorosamente.

***

Aos 30 anos de idade, Martina tinha plena consciência de que havia nascido numa família tradicional de médicos chilenos. Na primeira infância, fora praticamente educada por babás. Seus pais, dada a profissão, tinham o tempo bem escasso para ela. Em contrapartida, ofereciam toda sorte de conforto que o dinheiro podia pagar, uma vez que era filha única. Portanto, Martina havia frequentado ótimos colégios, teve acesso a várias outras redes do conhecimento, viajou o mundo desfrutando sempre do bom e do melhor.

Apesar de todos os privilégios econômicos que a vida lhe proporcionou, a jovem se sentia incomodada por saber que uma maioria vagava pelas ruas de Santiago em busca do pão de cada dia, e ela ali estava protegida pelos altos muros do condomínio onde residia. Também a incomodavam as filas das agências de empregos, com olhares cansados da dureza que a vida lhes imputava e da triste realidade de muitos, que, como zumbis, mendigavam a vida pelas ruas da cidade.

Talvez por essa leitura social, Martina havia escolhido a tradição profissional da família como propósito de vida, muito mais por sua sensibilidade com as pessoas que mais sofriam do que pelo testemunho dos pais. E a docência, além da prática clínica, também tinha entrado no pacote de escolhas, com o objetivo de atuar na formação das novas gerações de médicos para a verdadeira missão que, segundo ela, estava no servir e salvar vidas. Avessa às altas rodas da sociedade, das quais seus pais faziam questão de participar, possuía amigas vindas do mesmo contexto econômico, as quais muitas vezes a enfadavam com assuntos triviais que não lhe despertavam interesse algum. Pelo contrário, adorava enfrentar rótulos.

Na universidade, já como professora, havia criado junto com um grupo de estudantes o "trote cidadão", aquele rito de ingresso em que os novos alunos passam por situações de humilhação e constrangimento. Tinha conseguido convencer os veteranos da medicina de uma forma inusitada, mostrando a eles que esse acolhimento deveria ser mais responsável, uma vez que seriam futuros médicos que prezam pela vida e que, acima de tudo, não combinavam em nada com a carreira aquelas ações vexatórias a que submetiam os novatos. E que tendo uma ação social de ingresso, com projetos sociais para a comunidade desde a entrada na universidade, faria com que esses jovens pudessem descobrir uma nova leitura de mundo, em que o respeito, a solidariedade e o afeto fossem ingredientes essenciais para a profissão que escolheram.

Já havia dado a última mordida na maçã quando um vento vindo da cordilheira transitou por seus ouvidos, levando-a a parar e admirar, já sem fazer as contas, os Andes que, ao fundo, formavam uma linda paisagem. Pegou seu material e saiu do carro ainda organizando a bolsa quando ouviu um bater de portas do carro ao lado. Era o reitor da universidade, o professor dr. Jorge Bittare, que, sempre muito formal, a cumprimentou a distância e a esperou para acompanhá-la na caminhada até a entrada do prédio principal do *campus*.

Seguiram lado a lado conversando sobre amenidades. Jorge Bittare, apesar de toda a formalidade, demonstrava interesse em ouvir o que os seus professores tinham para falar sobre a universidade, e ele conhecia muito bem a família de Martina, já que o pai dela era seu médico havia muitos anos. Achava curioso o fato de ela gostar de dar aulas em meio ao exercício da medicina, apesar de toda a fortuna da qual ela era a única herdeira. E, sobretudo, admirava a humildade da moça, que se vestia com simplicidade e demonstrava preocupação com seus semelhantes, em especial, os mais sofredores.

***

Joan ainda estava com a xícara de café abastecida quando percebeu o reitor chegar acompanhado de Martina, que sorria e mexia nos longos cabelos negros. Ele ficou parado no mesmo lugar, ao lado da máquina de café, pois era o seu lugar favorito na sala de professores. Martina cruzou a sala cumprimentando os colegas, parou numa roda de médicos, e ele, a distância, observava discretamente cada movimento dela. Virou-se para dar passagem a uma colega que parou para conversar um pouco com ele. Enquanto ouvia atentamente a amiga, não tirava os olhos de Martina, e esperava ser percebido por ela na sala, que havia ficado pequena com todos aqueles professores conversando.

Ela então se aproximou, cumprimentando-o:

– Bom dia! Tudo bem com você?

– Bom dia! Tudo bem, sim. E você, como passou de ontem para hoje? – perguntou Joan meio atrapalhado com a xícara balançando no pires, ameaçando cair.

– Passei bem. Obrigada.

Um silêncio cobriu-os por alguns segundos como uma manta. Joan gentilmente lhe ofereceu uma xícara de café, e de forma extrovertida, falou:

– Antes que você se irrite com esta máquina, produto do capitalismo, que certamente substituiu alguém que, com muito carinho, fazia tudo manualmente, passando pelo filtro o famoso café de coador, que, aliás, até hoje é o meu preferido.

– Realmente, café de coador não tem melhor. Não há tecnologia que consiga superar isso. Também pudera, um botão reforçado com um adesivo indicando 'aperte aqui' nunca seria melhor do que o carinho de alguém que pacientemente espera a água ferver e devagarzinho vai coando o pó, sem nenhuma pressa – considerou Martina, agradecendo o gesto de Joan.

Eles ficaram conversando, enquanto ainda tinham algum tempo antes de ir para suas salas de aula. Joan, mais falador, tinha assunto pra tudo, era impressionante sua capacidade de abordar diversos temas em minutos de conversa.

Para ambos, uma sensação diferente. Não se conheciam, apesar do encontro inusitado do dia anterior, mas tinham em comum um sentimento diferente sobre a agradável presença de um para o outro. Era uma afinidade de olhar, algo impressionante, que em silêncio, chegava a deixá-los assustados.

Martina era muito independente, talvez até por sua história, com pais ausentes e uma vida regada a luxo, que, sem saber muitas vezes por quê, a deixava incomodada. Ela definitivamente não pensava como a maioria das suas amigas de vida abastada como a dela. Era uma crítica inveterada desse consumismo irresponsável e das futilidades resultantes da ostentação. Joan, diferente dela, vinha de uma história de vida cheia de limitações, tendo que se virar sozinho desde criança, construindo alternativas para sobreviver, considerando que, no país deles, sobreviver significa estar em desvantagem. E ali estavam duas pessoas com histórias completamente opostas, de níveis sociais antagônicos, mas que o fato de serem professores da mesma universidade os colocava em condições de igualdade, o que certamente não tinha a menor importância para eles. Estavam encantados, sem nenhum motivo aparente, pois o "ter" não fazia sentido e o "ser" contemplava os olhos numa dimensão fora do alcance deste mundo.

Enquanto Joan gesticulava, Martina apreciava cada palavra com uma expressão de contentamento, e o contrário também era recíproco. Até que a sonora campainha indicou que teriam de encerrar o papo e começar a jornada de trabalho do dia.

Martina, prendendo os cabelos pretos em um laço, virou-se para Joan e disse:

– Obrigada pela conversa e pelo café, mas ainda tenho de passar no laboratório. Ah... veja quando puder conversar, tenho muitas curiosidades em saber mais sobre filosofia, sempre quis ler e conhecer melhor alguns assuntos que atormentam o meu pensar sobre a vida.

– Quando você quiser. Aliás, um dos livros que li, sendo preponderante para me tornar um filósofo, foi a história de um médico medieval. Medicina e filosofia são ciências irmãs, como disse Galeno Pérgamo, um proeminente médico e filósofo romano de origem grega, considerado por muitos, o mais talentoso médico investigativo do período romano – disse Joan.

– Hum, gostei. Vamos conversar mais sobre isso. Acho instigante provocar a reflexão em tempos que as pessoas querem tudo pronto, não se preocupam em conhecer, em ler, questionar.

– Então eu lhe proponho um desafio – continuou Joan em tom de brincadeira.

– Desafio? Qual?

– Proponho que o tempo durante a caminhada entre o estacionamento e a entrada do prédio principal, antes do início das aulas, possamos refletir, por meio da filosofia, nossos olhares sobre o mundo.

– É interessante a proposta. Mas com temas livres ou faremos um curso de imersão filosófica? – perguntou Martina, rindo.

– Proponho filosofia do cotidiano, do pensar livre por meio das nossas observações e sentidos. O que acha? – devolveu ele, também com um sorriso de satisfação.

– Acho perfeito. Poderíamos começar com o que temos dificuldades para compreender. Pode ser? – ela perguntou, ajustando o brinco na orelha.

– Acho justo, afinal a filosofia tem esse papel, buscar a compreensão através do conhecimento, do olhar curioso. Como frisou Sócrates, uma vida que não pode ser examinada, não vale a pena ser vivida – disse ele, vidrado nos olhos dela.

– Realmente, uma vida que não poder ser examinada, não faz sentido algum. Poderíamos nos debruçar sobre isso, já que, no meu caso que sou leiga, será uma imersão filosófica livre sobre o que faz sentido nesta vida – complementou Martina com um ar de reflexão aparente.

– É uma boa reflexão, não sei se encontraremos na filosofia as respostas para tamanha complexidade da pergunta, entretanto, sugiro começar pelo entendimento do que é "sentido", talvez a medicina, pelo trato com a vida, possa nos ajudar – Joan falou com ar de encantamento, pensando: "Além de linda, gentil e solidária, é inteligente, meu Deus!".

A expressão da jovem professora revelava estar gostando da evolução da conversa.

– Confesso que me agrada o desafio, me sinto em muitas situações como alguém dispersa na multidão, e sempre me cobro sobre o que estou de fato fazendo para melhorar o mundo onde vivo. Apesar de acreditar, na minha humilde compreensão de como vejo a vida, que as pessoas estão perdendo a capacidade de amar.

Joan mergulhou nos pensamentos e disparou:

– Você acabou de definir a temática da nossa reflexão: pensar sobre o que faz sentido, e nada melhor do que a capacidade de amar, do afeto gratuito, sendo assim, eu proponho o curso do amor através da filosofia sentimental. O que acha?

– Adorei. Começamos segunda-feira?

– Sim. Segunda-feira, às 7 horas. Com a grade horária estabelecida de dez encontros de caminhadas filosóficas.

– Caminhadas filosóficas?

– Vamos utilizar o método peripatético – propôs ele.

– Nossa, venho sempre pensando em várias coisas, e nunca reparei que é uma bela caminhada mesmo, do estacionamento até este prédio principal. Aliás, andar é o que mais fazemos neste *campus*, tudo aqui é muito distante. Mas já com uma curiosidade, o que seria peri... pode repetir?

– Peripatético. Mas não vou definir o conceito agora, fica como tema da primeira reflexão. E tem mais, vou ter como referência dez grandes pensadores, alguns filósofos, poetas e até um marceneiro.

– Hum... filósofos, poetas e um marceneiro, interessante! – disse ela sorrindo enquanto olhava para o relógio.

Despediram-se com um aperto de mãos, num ar à moda antiga, do tempo em que os enamorados sentavam cada um numa ponta do banco da praça c no cncontro das mãos as almas se beijavam. Joan, sem conter a alegria, dirigiu-se para a sala de aula inspirado, sentindo-se com a alma acarinhada. Chegou saudando os alunos com o costumeiro calor. E já colocando a mochila na cadeira, sentou-se à mesa e iniciou sua aula do dia.

– Meus caros alunos, havia preparado para hoje, conforme o plano de aulas, um tema clássico da filosofia e as contraposições sobre a origem das ideias de Platão e Aristóteles. Entretanto, como de costume, vou sair dos trilhos e falar sobre um tema muito difícil de ser abordado pela filosofia, que é o sentimento. Em boa parte de suas tratativas, a filosofia se concentrou nas questões de ordem moral, se dedicando muito pouco à reflexão das coisas do coração. Por isso, hoje vou discorrer sobre essa complexa pauta filosófica.

E assim foi a aula daquele dia, como um preparativo para os dez módulos por meio do método peripatético com a dra. Martina.

***

Na noite antes da primeira caminhada, a ansiedade tomou conta de Martina. Estava com a adrenalina em alta, com a memória remoendo a conversa com Joan. Ela se perguntava sobre as lembranças dos olhares trocados, como poderia alguém chegar do nada em sua vida e, em alguns instantes de contato, mesmo que visual, pudesse impactar tanto, de forma que não saíssem de seu pensamento as imagens com cores daquele inusitado encontro.

Martina voltou do plantão tarde da noite. Estava preocupada com a rejeição de uma nova medicação aplicada em Rauzito. Tinha esperança de que esse medicamento pudesse dar a ele mais qualidade de vida. Mas a tentativa não foi bem-sucedida, e ela já se angustiava com a evolução do quadro do menino nos próximos dias. No entanto, a lembrança dos olhinhos de Rauzito, que transbordavam carinho por ela sem dizer uma palavra, e mais a lembrança da conversa com Joan, por alguns instantes, a deixaram em paz.

Após um demorado banho, desceu as escadas e foi à cozinha para fazer um lanche, antes de dormir. Encontrou sua querida Maraña, uma antiga empregada da família, que percebeu após o beijo carinhoso de Martina, que havia uma alegria em seu semblante.

– Hum... está feliz a minha menina, como me alegro em vê-la assim – comentou Maraña.

Martina, muito carinhosa com as pessoas, e em especial com Maraña, que sempre a acolhia em seus braços na ausência dos pais, olhou-a diretamente nos olhos.

– Minha flor, isso é alegria da alma, amo-te muito. – E subiu para o seu quarto enquanto comia o lanche que havia preparado rapidamente.

Queria ter dito mais à sua confidente, porém, preferiu não se adiantar sobre Joan. Maraña agia de forma bem diferente dos seus pais, que sempre a questionavam sobre ela arrumar um namorado, isso quando não eram invasivos, opinando sobre os filhos herdeiros de grandes fortunas que a cortejavam. E eles não entendiam por que ela se resignava em relação a isso, sendo que a maioria das jovens adorariam ter a possibilidade de um casamento abastado com um dos sobrenomes importantes da capital chilena.

Como respeitava muito os pais, ela preferia o silêncio a respondê-los. Para não dizer de fato o que achava sobre isso, pois no fundo, Martina tinha até calafrios ao pensar em se relacionar com a maioria dos jovens ricos que conhecia, ficava irritada com a forma como viam o mundo, por meio de uma ótica de ostentação e futilidades. E embora procurasse não generalizar, sua experiência a deixava cética com relação a esse mundo de aparências, em que os bens materiais davam a falsa sensação de felicidade. Joan, porém, não parecia uma dessas pessoas, tanto pela aparência quanto pela conversa.

E, assim, Martina se deitou refletindo sobre o último encontro que tiveram, um pouco mais demorado que o primeiro, com grandes surpresas e que a deixou em estado de transcendência.

Primeira caminhada

ARISTÓTELES: JOAN, UM PERIPATÉTICO ENAMORADO

As mais lindas palavras de amor são ditas
no silêncio de um olhar.

Leonardo da Vinci

Amanheceu o dia. Martina olhava para o relógio enquanto esperava o sinal verde do semáforo. Calculou o tempo que ainda tinha para encontrar o filósofo que não lhe saía da cabeça. Conforme o combinado, chegariam vinte minutos antes do horário das aulas para iniciarem o curso de filosofia sentimental. De longe avistou o estacionamento e o veículo de Joan. Uma tremedeira tomou conta dela, e falava para si mesma em voz alta "você não é uma adolescente, pare com isso", como se o frisson do encantamento tivesse idade para determinar nossas ações diante do inesperado. Foi se aproximando devagar e manobrando em marcha ré, seus olhos se encontraram com os dele pelo retrovisor, como numa imagem em câmera lenta foram se olhando – para ela, essa sensação era absolutamente nova.

Ela ainda se preparava para descer do carro quando viu que Joan gentilmente a esperava ao lado porta, para abri-la. Cumprimentaram-se com um desajeitado abraço e com um sonoro "bom dia", dito quase que ao mesmo tempo. Não havia dúvidas, ambos estavam encantados.

Joan se apressou para começar a sessão combinada, pois o tempo era curto e queria aproveitar ao máximo aquela adorável companhia. Como tinha prometido, ele começou introduzindo o conceito de peripatético de Aristóteles. Explicando que, como eles fariam essas reflexões no trajeto do estacionamento até a entrada do prédio principal, seria aquela caminhada a grande essência das ideias.

Martina, curiosa, perguntou:

– Como assim, a caminhada será o nosso pano de fundo para a reflexão? É isso?

– Mais ou menos – disse Joan sorrindo. E começou a explicar: – Martina, certamente você já ouviu falar de Aristóteles, que junto com Hipócrates, é considerado o percursor da ciência. Hipócrates, como você já sabe, ainda que historicamente existam controvérsias, é considerado o pai da medicina.

– Hipócrates, ouvi bem pouquinho a respeito dele numa disciplina introdutória da história da medicina, e quanto a Aristóteles, bem rapidamente na formação do segundo grau. Você vai ter trabalho comigo! – ela o interrompeu e terminou rindo.

Joan, para não perder a concentração, continuou falando e determinando um ritmo bem lento das passadas, pois já havia feito esse percurso como teste para concentrar os passos de modo que a conversa fosse intensa e produtiva para eles.

– Então, Aristóteles e seus discípulos gostavam de filosofar enquanto passeavam pelos jardins do Liceu. Ele acreditava que, o movimento do corpo que se exercita ao caminhar trazia mais irrigação para o cérebro, melhorando assim as performances cognitivas.

Martina fez sua primeira conclusão filosófica:

– Quer dizer então que, enquanto caminhamos, as ideias começam a estabelecer relação entre elas? Adorei!

– Sim. Essa era a essência aristotélica para o conceito de peripatético. Durante a caminhada, ao sentir os barulhos do ambiente, cheiros e silêncios, começamos a assimilar melhor as relações das ideias e com os outros iniciamos o processo de sintonia, em outras palavras, esses passos que estamos dando nos põem a pensar além do cérebro, pensamos também com os músculos, com os sentidos, com o corpo todo e, em especial, com o coração – disse numa parada rápida de deslumbramento filosófico, refletido pelos olhos dela. – Martina, olhe aquela porta para onde estamos indo. Veja que ela é estática, está lá hoje, estará amanhã e continuará lá até alguém um dia tirá-la dali. Concorda? – completou em calma voz.

Martina, talvez ávida pelo que sairia da pergunta, concordou acenando com a cabeça. E Joan continuou:

– Pois bem, essa condição estática está submetida à vontade de alguém que a colocou ali, e ela por ser inanimada não tem vontade própria, essa condição foi dada somente a nós, seres humanos. Assim, penso eu, que os sentimentos também são como aquela porta, com uma grande diferença, podemos relacioná-los com nossas vontades ou não.

– Nossa, você foi muito profundo nessa comparação! Como assim, relacionar sentimentos com vontades?

– Oras, não tenho a resposta pra isso, lembre-se de que estamos aqui fazendo filosofia e saber todas as verdades se torna enfadonho para o campo criativo das ideias. O que estou querendo é apresentar novos olhares, em como lidamos com o que podemos ou não ter controle. Voltando à porta, estamos vendo com clareza que ela está ali, sabemos sua forma, sua cor, sua localização e onde chegaremos após atravessá-la. Pois a porta faz parte do mundo real, que os nossos olhos aprenderam a conhecer e identificar. Entretanto, por mais que sejamos capazes de submeter os sentimentos às escolhas, às vontades ou à razão por nossa condição humana, se tornam complexos ao buscarmos compreendê-los, pois sentir é antes de tudo um ato transcendental, não tem cor, não tem localização, não sabemos o que encontraremos após ele – disse Joan numa empolgação típica de um genuíno filósofo.

Martina, pensativa e encantada, comentou sorrindo:

– Joan, essa porta pela qual entro e saio todos os dias, nunca imaginei que em poucos minutos olhando pra ela, pudesse refletir tanto sobre algo assim.

– Essa é a beleza da reflexão, conseguir através do simples, daquilo que muitas vezes está o tempo todo disponível aos nossos olhos e não conseguimos ter a sensibilidade de enxergá-los, consumidos pelos formatos estabelecidos, pela ordem imputada de como deve funcionar tudo a nossa volta. Pensar é se libertar do costumeiro, é poder resplandecer sobre novas possibilidades, alternativas, e ver a maravilha que é viver, imersos numa simplicidade que nos chama todos os dias para ser feliz – terminou Joan, virando-se para Martina, com os olhos concentrados nos dela.

Um silêncio enorme tomou conta daquele momento. Estavam ali, um de frente para o outro, estáticos diante da porta, um objeto inesperado da reflexão do dia. Consumidos por algo arrebatador e sem mais nenhuma palavra, se despediram com um aceno que dizia tudo e mais um pouco sobre o que sentiam naquele instante.

Cada um foi para sua sala de aula, considerando que já estavam com o horário no limite. Depois daqueles minutos com Martina, Joan refletiu sobre sua vida amorosa. Sempre tentou não se envolver muito, não tinha na memória afetiva algo tão arrebatador. Talvez, por isso, estava muito assustado com aquelas sensações que tinha quando olhava para a adorável médica. Havia muito que se levar em consideração na sua história de vida, pela necessidade de sobreviver a todas as privações às quais fora submetido desde criança. Então, os relacionamentos amorosos sempre foram secundários nas suas prioridades, o que certamente o levou a ter sérios problemas quando o assunto era namoro. As mulheres achavam que ele não se importava com a relação e isso quase sempre não terminava bem e, em geral, ele saía desses relacionamentos como vilão. E essa reflexão fez com que pautasse o assunto do encontro seguinte.

Joan, muito carismático com seus alunos, já chegou convocando-os para o amor:

– Amem, meus caros, e deixem as amenidades para depois! Não se iludam com aquilo que apenas os olhos podem ver. Há uma imensidão no olhar que acaricia, no abraço que afaga a alma, no sorriso que despretensiosamente irradia do nosso coração. Sejam mais livres com os bons sentimentos, somente assim vocês estarão mais fortes quando alguém quiser moralizar suas vontades, seus desejos, pois o que nos move não é o preconceito do outro, mas sim a nossa consciência de verdade com aquilo que nos fazem ser e a quem devemos lealdade, sinceridade e, a mais importante das virtudes, a de estar em paz com o que verdadeiramente somos.

Os alunos, num estado de hipnotismo, com os olhos vidrados no professor de métodos diferentes, o ouviam num silêncio absoluto. E Joan prosseguiu:

– Não importa quantas vezes você tenha errado ou acertado, não importa quantas vezes disseram que você não iria conseguir, não importa as barreiras que construíram a sua volta, porque o importante é você não esmorecer com o adverso, é ter capacidade de se reinventar mesmo quando tudo parece tão difícil, tão insuportável. Como disse certa vez Michel de Montaigne: "Quanto menos o meu quinhão de vida, mais profunda e plena devo torná-la".

E, andando pela sala, fixou os olhos num aluno famoso por ser praticante de *bullying*, que, dias atrás, Joan flagrou humilhando um colega de sala por sua condição homossexual. Foi diretamente para ele que o som de sua voz entoou em todo o ambiente.

– Não faz sentido anular o outro porque ele é diferente de você, porque se veste diferente, mora diferente e não tem o que você tem. Como se o que você tem ou pensa que é esteja numa condição melhor do que os outros. O fato de gostar de coisas diferentes, de ver o mundo de outra forma, de sentir de outro jeito, não muda o caráter e a beleza de cada um. Penso eu, como vocês sabem bem, por uma condição de fé, pelo Deus que creio, não consigo imaginar Jesus olhando para alguém pelas suas vestes, pelos adornos ou pelo carro que possui, só consigo acreditar em um Jesus que não se importa com nada disso, que apenas olha para o seu coração. Por isso, meus caros, não se deixem enganar pelas prontidões através dessas janelas, a finitude de tudo isso é certa, o que não nos impede de viver intensamente. E, para que seja intenso, não podemos perpetuar sentimentos de intolerância, de ódio, de destruição por aquilo que não nos apraz. Somos mais do que isso, somos mais do que essas bobagens inventadas por nós mesmos. Por isso, convoco a todos aqui, para se levantarem agora e, por um minuto, apreciarem o silêncio. Durante esse tempo, olhem uns para os outros e, com o gesto que for possível e com o qual sentirem vontade, aproximem-se do seu semelhante e não do seu igual, pois o seu igual é uma cópia que todos os dias pode ser alterada por um novo acessório. Já o seu semelhante não, ele sempre será o mesmo, como você, que respira, que sente, que ama e que tem o direito de ser feliz, independente do jeito ou da forma que tem a sua disposição.

E assim se estabeleceu um momento de forte comoção entre os alunos. O rapaz que dias antes achincalhava o seu colega por pura ignorância moral foi ao encontro dele e o abraçou num silêncio de reconhecimento pleno de seu constrangimento, como se então constatasse que esse diferente dele é apenas um ser humano, tão especial e singular como ele.

Joan, com os olhos marejados, se pôs a observar aquele cenário promovido não por estruturas sociais, ordem econômica ou intervenções materiais, mas pelo sentimento que as palavras são capazes de provocar quando utilizadas no momento certo. E com um sorriso emocionado, sentiu-se grato por aquela oportunidade.

Segunda caminhada

VOLTAIRE E O SENHOR PANCHO: OUVIR MESMO QUANDO NADA SE DIZ

Deus é isto: a beleza que se ouve no silêncio. Daí a importância de saber ouvir os outros: a beleza mora lá também.

Rubens Alves

Joan e Martina acordaram dispostos para o segundo dia da caminhada filosófica. Martina, apesar de todo o ânimo que aquela manhã poderia lhe oferecer, sentia o cansaço emocional que a perturbava depois de um plantão difícil na noite anterior. Estava triste por não conseguir salvar um adolescente que tinha sofrido uma parada cardíaca praticando esportes com os amigos. Seu quadro se complicou, e todas as tentativas que a medicina tinha para oferecer não foram suficientes para mantê-lo vivo. Sem contar os períodos extensos de febre que acometeram Rauzito naquela noite, deixando-o trêmulo e exausto por longas horas. Chegou em casa e, após um demorado banho, diligentemente seguiu para a universidade e, mesmo assim, encontrava uma alegria em seu rosto a cada parada nos semáforos quando se olhava no espelho interno para terminar de se arrumar, pois sabia que encontraria Joan para o seu segundo módulo peripatético.

Naquele segundo dia, Joan foi ainda mais disciplinado; havia se adiantado mais de uma hora em sua chegada à universidade. Olhava fixamente para o portão do estacionamento à espera de Martina. Ela mal estacionou e ele, outra vez gentil, abriu a porta para que ela pudesse sair. Cumprimentaram-se com a mesma timidez das outras vezes, desengonçados e com movimentos confusos que novamente os fizeram falar "bom dia" ao mesmo tempo, e riram de si mesmos como se fossem adolescentes.

Joan se sentia sempre em estado de inércia quando olhava para Martina. Estar diante dela era por si só uma poesia sem palavras, construída com versos através dos olhos. Para não perder a concentração, apesar de ser uma das suas maiores habilidades, ele deu início à reflexão do dia:

– Começamos hoje nossa caminhada trazendo uma reflexão de François Marie Arouete, mais conhecido como Voltaire, que viveu uma grande história de amor com sua adorável Émilie du Châtelet, cientista e aristocrata francesa.

– Nossa, os filósofos geralmente não revelam seus casos de amor. Até que enfim fico sabendo de um que se apaixonou – comentou Martina com visível animação.

– Apesar de os filósofos serem mais conhecidos por seus aspectos intelectuais, o amor é indissociável da filosofia. Mas o que me proponho, através de Voltaire, não é necessariamente falar de sua história amorosa com madame Du Châtelet, que merece certamente um capítulo somente para isso, mas hoje me debruçarei apenas em uma frase, que historicamente se firmou em seu legado, que diz assim: "O ouvido é o caminho do coração".

– Isso é para se refletir muito – considerou Martina.

– Sim – concordou ele. E emendou: – Está vendo ali o senhor Pancho, que todos os dias está sentado na cadeira ao lado do portão de entrada do estacionamento?

Joan apontou na direção de Pancho, um patrimônio da universidade: um senhor muito gentil, que trabalhava na universidade havia mais de trinta anos fazendo a mesma coisa. Apesar de poucas palavras, era sempre muito prazeroso estar com ele, pois sua simplicidade era renovadora.

– Adoro o senhor Pancho. Ele me recebe com alegria: "que seu dia seja alegre, depende de você" – comentou Martina em tom carinhoso.

– Apesar de o enxergamos assim, muitos nem o percebem ali. Tratam-no como parte do cenário e não conseguem ver a importância de se ter um senhor Pancho por perto. Uma vez, conversando com ele sobre a demissão de um professor antigo da casa, ele me disse que o tal professor só lhe dirigiu a palavra uma vez em todo o tempo que trabalhou aqui. E foi bem no dia em que foi embora, pediu que abrisse logo o portão, pois não desejava ficar nesse lugar nem mais um segundo, e, com uma expressão de ódio, saiu com o carro em alta velocidade. Lamentei com o senhor Pancho a situação e, com a ternura de sempre no olhar, ele me disse para não me lamentar, porque aquilo não o chateou, pois, em algumas pessoas, os ouvidos estão travando os caminhos para o coração. Achei forte essa constatação, e me fez lembrar Voltaire, que mesmo com toda sua intelectualidade não era superior ao senhor Pancho, todos podemos produzir conhecimento, gerar novas possibilidades, independente de onde viemos, se temos ou não formação, títulos que credenciam intelectualidade, basta apenas termos coerência com aquilo que nos cerca, como o senhor Pancho, que ouve tudo e, com responsabilidade, sempre tem o que dizer quando necessário – disse Joan olhando para Martina fixamente.

– Mas se os ouvidos são o caminho para o coração, como disse Voltaire, e se travados impedem esses caminhos de acessarem o coração, segundo o senhor Pancho, como devemos nos fazer "ouvido" para compreender melhor o que sentimos e o que vivemos? – interpelou Martina.

Joan se encantava com as rápidas assimilações da jovem médica. Então, prosseguiu:

– Martina, se fazer "ouvido" é, antes de tudo, ser um bom observador. O que acontece em nosso tempo é que existe um desespero aniquilador que nos consome porque queremos atender às nossas necessidades, sejam elas de que natureza forem. E essa loucura acaba por nos deixar sem os principais sentidos, para perceber o que está acontecendo longe do nosso umbigo. Perceba o senhor Pancho, está ali todos os dias sempre observando, ouvindo conversa de todo o tipo e nunca o vemos triste ou chateado com alguma coisa. Com certeza, deve sentir isso em algum momento, é um ser humano, porém o fato de estar diante do seu semelhante dá a ele a vontade de sempre estar pronto para ajudar, independentemente de como ele está se sentindo naquele dia, pois a sua vontade é medida por sua essência solidária. Sendo assim, ser "ouvido" é mais do que estar disposto a ser um depósito de lamentações; ser "ouvido" é poder contemplar no outro as nossas limitações, estando assim livre para acolhê-lo em qualquer situação que a vida nos possibilitar o encontro.

– Gostei do "possibilitar o encontro", acredito nisso. O senhor Pancho, todos os dias, me possibilita isso. Outro dia, vinha de um plantão difícil, tive de cobrir uma colega que precisou viajar às pressas para sua cidade natal, por isso, saí direto do plantão para a universidade. Naquele dia em especial, os alunos fariam as apresentações dos trabalhos de conclusão do curso e muitos deles estavam sob a minha supervisão, então, não poderia de forma alguma faltar. Cheguei no portão do estacionamento já com dois litros de cafeína e pó de guaraná no organismo, precisava estar de pé para a maratona do dia. Passei pelo senhor Pancho, acenando apenas com a cabeça, diferente dos outros dias, quando abaixo o vidro do carro para cumprimentá-lo olhando pra ele. Acho que o cansaço estava dominando até o meu bom senso. Mas, pelo retrovisor, vi o senhor Pancho com as mãos estendidas em direção ao meu carro e não entendi muito bem aquele gesto. Entrei para as aulas e no automático fui cumprir minhas atividades de docente. Quando terminei minhas tarefas, saí correndo para pegar o carro e voltar para o hospital. Ao passar pelo portão, vi que o senhor Pancho estava em pé e não sentado como costumava ficar, até pela idade que já tinha. Abri o vidro e o cumprimentei, dizendo que ele tivesse um bom resto do dia. Ele curiosamente me respondeu que eu também, mas que não somente para o resto do dia, e sim para a vida toda.

Num instante, me lembrei do gesto dele de manhã com as mãos em direção ao meu carro e perguntei se queria me dizer algo com aquilo. Ele apenas me respondeu que não, na verdade ele estava pedindo a Deus que abençoasse a minha vida e que a alegria de viver estivesse comigo todos os dias. Não aguentei, parei o carro e desci para lhe dar um abraço de agradecimento. E ele carinhosamente me retribuiu com um copo de café da sua garrafa branca, que sempre está ao seu lado, e me disse: "Minha filha, não importa o tamanho dos seus problemas, vejo todo tipo de gente passando por aqui, muitas pessoas nem me percebem, mas isso não é o mais importante, e independente disso, eu os abençoo e rogo a Deus pela vida deles, para que o coração de cada um não esteja contaminado com coisas ruins e que o caminho esteja livre para todos nós, basta aceitarmos que somos frágeis e reconhecermos nossa dependência uns dos outros". Agora entendo melhor o senhor Pancho – concluiu Martina.

Joan, vendo a porta se aproximar, apressou-se para concluir seu pensamento.

– Martina, acho que conseguimos assimilar bem a nossa reflexão do dia. Podendo ser com Voltaire ou ainda melhor com o nosso senhor Pancho. Aprendemos com todos, quando estamos dispostos a compreender que somos complemento uns dos outros. As pessoas com as quais mais aprendi nesta vida não são as que possuíam algum reconhecimento pelo conhecimento que julgavam ter, mas com as pessoas que verdadeiramente se doaram para me ajudar a compreender as pequenas e simples coisas da vida como as mais importantes. Sendo um obrigado, com licença, me desculpe, por favor, e outras palavras mágicas que deixam o caminho mais livre para levarmos o que é importante para o coração e a paz de não estarmos só em nenhum momento.

E, mais uma vez, se despediram somente com a troca de olhares, sem nenhuma palavra.

***

Joan entrou na sala e viu que os alunos ainda se ajeitavam nas carteiras. Rapidamente, movido pelos vinte minutos anteriores, pediu para que não se sentassem e aos que já tinham se sentado que se levantassem e fossem todos para o estacionamento. Explicou que a aula do dia seria com um grande filósofo, que por coincidência trabalhava na universidade, sendo um dos funcionários mais antigos, embora poucos o conhecessem de verdade. Os alunos se entreolharam sem entender nada, mas o seguiram.

Quando chegaram ao estacionamento, Joan pediu que fizessem uma roda embaixo de uma árvore frondosa e que ficassem ali enquanto iria buscar o tal filósofo. Os alunos o observaram ir até a portaria e voltar com o senhor Pancho numa conversa distraída.

Ao chegar na roda já formada, foi bem objetivo:

– Caros alunos, prestem muita atenção, hoje vocês terão o que chamamos de "possibilitar o encontro". Aqui está o senhor Pancho. Vocês o conhecem?

Poucos levantaram a mão demonstrando conhecê-lo, e a maioria nem se lembrava daquele senhor já de idade avançada.

– Pois bem, o senhor Pancho gentilmente aceitou o meu convite repentino para ser o nosso professor de hoje. – E Joan continuou: – Com vocês, o nosso filósofo Pancho Guarneri.

E lá foi o senhor Pancho com sua calma de sempre. Depois de se apresentar com a simplicidade que lhe era peculiar em tornar as palavras flechas para a alma, começou a discorrer sobre o sentido da vida e de como todas as pessoas são especiais. Mirou seus olhos em Jaime dal Monte, que era o único aluno cadeirante da universidade. Moço bonito, com olhos azuis que chamavam atenção, ficou paraplégico aos oito anos de idade por complicações de uma doença rara. Muito introspectivo, o rapaz não era de conversa, estava sempre sozinho nos intervalos das aulas, afastava-se das rodas de conversas e nunca participava das festas promovidas pelos colegas. O senhor Pancho, todos os dias, o via pela manhã, pois era o pai de Jaime que o trazia para as aulas e entrava pelo estacionamento dos professores, onde havia mais facilidade e mobilidade para acessar os corredores da antiga universidade. Sendo assim, como bom observador, sempre fazia questão de olhar nos olhos azuis de Jaime para cumprimentá-lo e lhe desejar um dia feliz.

O senhor Pancho começou a falar de dons e talentos, afirmando que todos, independentemente de nossas limitações, somos seres capazes de assimilar novas habilidades. Pediu aos alunos que o acompanhassem até o campo de futebol da universidade, que ficava bem ao lado do estacionamento dos professores. Em dois minutos, estavam todos na pista de atletismo que rodeava o grande gramado de futebol. Tirou um relógio antigo do bolso e solicitou a cada um que corresse uma volta em toda a extensão da pista e ele marcaria o tempo individual ao término da corrida. Os alunos, no auge da juventude, acharam uma bobagem, mas, pela confiança e admiração que tinham pelo professor Joan, consentiram sem problemas em realizar a atividade proposta pelo "porteiro".

E assim começou a atividade: cada um fez o seu percurso, virando uma competição. Os mais atléticos disparavam em alta velocidade para fazer o menor tempo possível e as meninas reclamavam por uma diferença de gênero. E o senhor Pancho ia anotando o tempo individual daqueles jovens.

Quando todos pensavam que a prova havia terminado, o senhor Pancho disse que faltava um aluno fazer a prova.

De repente, seguiu-se um silêncio. Todos se entreolharam com constrangimento, pois o único aluno que faltava era Jaime, seria uma covardia e humilhação se o senhor Pancho pedisse a ele que fizesse a volta. Faziam gestos de indignação para Joan, como se fosse um absurdo a atitude do senhor Pancho pedir isso ao Jaime. Joan confiava na sabedoria do senhor Pancho, que, somente com a formação básica, dava um show em muitos doutores, provando que titulações não eram suficientes para muitas coisas da vida, em especial o de conhecer gente. Deixou rolar a atividade, sem interferir em nenhum momento.

Martina estava aplicando um teste avaliativo para seus alunos, e, ao caminhar pela sala, assimilando a experiência peripatética adquirida havia pouco, observou pela janela Joan e toda sua turma no campo de futebol. E reparando mais, avistou o senhor Pancho no meio da roda como o protagonista da conversa que se desenvolvia. Ficou ali assistindo, o que chamou a atenção de todos os seus alunos. Ao perceber que os tinha desconcentrado, chamou todos para a janela para observar o que estava acontecendo naquele campo de futebol.

– Vamos, Jaime, só falta você fazer o seu tempo – o senhor Pancho disse se aproximando do rapaz.

Jaime, constrangido, se negou, acenando com a cabeça em reprovação pela atitude do porteiro metido a professor.

Mas o senhor Pancho insistiu, colocando para Jaime que ele era aluno como todos os outros e não havia razão para não se submeter às mesmas atividades. E assim foi psicologicamente provocando o menino até o ponto em que Jaime, com dificuldade e gesticulando de raiva, começou a se dirigir para a linha de partida da pista, e ali começou sua volta. Com uma expressão de muito ódio, mas mantendo os movimentos em consonância e direção. Para os outros alunos, era uma eternidade esperar aquela volta e eles reprovavam e condenavam o que o senhor Pancho estava fazendo com o colega de turma, afinal, para eles, Jaime era somente um deficiente e tinha de ser privado dessas situações, não tinha capacidade física para essas tarefas.

Mas lá estava Jaime, com sua cadeira fazendo o seu tempo, dando a volta por aquela extensa pista de atletismo, com medidas e distâncias feitas para atender profissionais de alto rendimento. Depois de algum tempo, ele aparecia na reta final e, enfim, na linha de chegada. Com um ar já diferente de como saiu, não demonstrava mais o ódio que deixou claro no início. Parou a cadeira ao lado do professor Joan e ficou ali com os olhos azuis arregalados na face avermelhada pelo suor.

Joan permaneceu em silêncio, esperando a conclusão do senhor Pancho, que lentamente veio com o papel com as marcações dos tempos individuais. Abaixou-se ao lado de Jaime, de uma forma que pudesse ficar na mesma altura dos olhos dele.

Todos esperavam o desfecho; queriam acabar logo com aquela agonia e compreender o sentido daquela estupidez.

– Ótimo. Parabéns a todos pelo esforço e pela gentileza em concluir a tarefa – começou o senhor Pancho. – Sei que devem estar curiosos, e até com raiva deste velho porteiro, para saber quem fez o melhor e o pior tempo, não é?

– Mas, porteiro, o pior tempo já sabemos quem fez. – Um engraçadinho o interrompeu, rindo e despertando o riso de alguns colegas e os olhares de reprovação da maioria.

Senhor Pancho, calmamente, continuou:

– Engano julgarem somente pelo que conseguem ver. A atividade ainda não terminou. Agora quero que o Jaime, por favor, saia da sua cadeira e se sente ali naquele banco.

Sem nenhuma objeção, pois estava muito cansado, Jaime, com a ajuda do professor Joan, se acomodou no banco e disponibilizou a cadeira para o senhor Pancho, que de forma bem objetiva pediu a todos que, com a cadeira de Jaime, fizessem agora a volta na pista. E ele marcaria o tempo. Os alunos novamente ficaram extasiados com o novo desafio, achando que o absurdo já estava demasiado. Mas, quando olharam para Joan e viram que ele estava apoiando o porteiro, decidiram cumprir a tarefa.

Martina e sua turma observavam tudo pela janela, conseguiam identificar o que estava acontecendo, mas não compreendiam o sentido. Ela percebeu que todas as salas com vista para o campo estavam também assistindo a tudo, virando uma torcida organizada com palavras de incentivo para cada aluno que partia com a cadeira.

E o tempo foi longo. Pancho olhava para Joan que, com o olhar, confirmava que confiava no amigo. Por fim, concluíram a atividade, que até ficou divertida, pois muitos caíram com a cadeira. Jaime assistia a tudo e, por alguns momentos, deu boas gargalhadas com a situação. O senhor Pancho se levantou, começando a ler o tempo de cada aluno sem a cadeira e depois o tempo de cada um com a cadeira. Por fim, disse em voz bem alta:

– Vocês foram ótimos em seus tempos, tanto com a cadeira como sem ela. Mas agora vou anunciar o tempo de Jaime e tirem vocês suas conclusões. O que eu já esperava, Jaime fez o melhor tempo com a cadeira entre todos vocês. Isso nos dá a tranquilidade de compreender que somos especiais, e que cada um no seu tempo tem o seu valor.

O senhor Pancho continuou falando sobre a atividade proposta e o que seria aprendido daquilo tudo, detalhando os objetivos, e os alunos como espectadores de um grande filme se mantinham atentos a cada palavra daquele senhor, em quem nunca repararam e que estava ali todos os dias tão perto e tão distante deles ao mesmo tempo. Muitos chegaram a chorar, abraçaram Jaime criando uma grande comoção até para os que acompanhavam pelas janelas, seguido de um sonoro aplauso que ecoou em toda a universidade. Martina, emocionada, encontrou lá de cima os olhos de Joan, que com as mãos batendo no coração, apontava o senhor Pancho para ela.

E aquele dia terminou assim, demonstrando que somos capazes de criar caminhos para deixar o coração mais leve e feliz, entre "Panchos e Voltaires".

Terceira caminhada

SCHOPENHAUER: UM MAL-HUMORADO SENTIMENTAL

O bom humor é a única qualidade divina do homem.

Arthur Schopenhauer

Foi uma noite de pensamentos intensos para Martina. Ela se lembrava de cada palavra trocada com Joan nos últimos dois dias e achava tudo uma loucura. Ele era diferente de todas as pessoas que tinha conhecido até então. Recordou-se dele também no campo acenando para ela, naquela maravilhosa atitude de valorização do senhor Pancho com os alunos.

Uma amiga telefonou convidando-a para uma festa no café do Valle Nevado, um grupo restrito com alguns turistas. Mas o dia tinha sido muito cansativo. Além disso, não dormia há mais de vinte quatro horas e precisava descansar para o dia seguinte. Quando tinha tempo, costumava sair com as amigas mesmo durante a semana, adorava jogar conversa fora e gostava de fugir da rotina. Mas a doce lembrança de Joan naquele momento significava uma ótima companhia para relaxar e, assim, foi se deitar procurando o sono, imersa em recordações.

Amanheceu. Martina já estava pronta para a caminhada e, após o mesmo ritual dos outros dias, Joan começou a falar logo na primeira passada o tema do dia:

– Martina, hoje falaremos um pouco de Arthur Schopenhauer, talvez um dos filósofos mais pessimistas de todos os tempos. Ele tinha uma relação conturbada com a própria mãe e acho que, esse trauma, que levou consigo por toda vida, trouxe a ele muitos problemas de relacionamento, em especial quando o assunto era sentimentos, e o mais especial deles, o amor. Para Schopenhauer, o amor é o último objetivo de quase toda preocupação humana, ele influencia os assuntos mais relevantes da nossa vida, por isso devemos evitá-lo, pois o amor interrompe as tarefas mais sérias e por vezes desorienta as cabeças mais geniais.

Martina, atenta à apresentação sobre o filósofo mal-humorado, disse:

– Nossa, esse Schopenhauer devia ser um chato e mal-amado.

Joan, rindo, continuou:

– Sem dúvida. Arthur tinha personalidade forte, mas acho que no fundo todo esse comportamento era resultado de suas frustrações da infância. Por outro lado, foi um gênio e produziu grandes reflexões, o qual até hoje nos permite mergulhar em seu pensamento. O que quero na verdade absorver dele no dia de hoje é essa concepção de acreditar que o amor interrompe as nossas tarefas mais sérias. O que poderia ser mais sério e importante do que o sentimento que nutrimos por aqueles que amamos?

– Realmente não consigo entender o que seria, mas faz sentido compreender que muitas vezes, aquilo que achávamos sentir por alguém não era o que pensávamos, e depois com o tempo chegamos à conclusão de que não tinha importância nenhuma. Sendo assim, por estarmos envolvidos naquele emaranhado sentimental, achando que fosse de fato amor, talvez pudéssemos ter comprometido coisas mais sérias e importantes, não acha? – avaliou Martina, pensativa.

Joan percebeu que atingiu o primeiro objetivo, que era fazer Martina a princípio não ver sentido na reflexão de Schopenhauer, para depois conceber que na filosofia, sempre se acha novas possibilidades de pensar de forma diferente a mesma coisa. Por isso, prosseguiu:

– Sim. Considerando que exista uma grande diferença entre amor e paixão, me atrevo a afirmar que o nosso filósofo se referia mais às paixões desse mundo do que aos sentimentos mais sólidos. As paixões são imediatistas, todos nós já vivemos isso. Vêm como uma onda do mar e depois vão se esvaindo e perdem a força. Agora, amor não, ele é o próprio mar que, independentemente dos movimentos, mantém o vigor com sua força.

Ela, curiosa, perguntou:

– Mas você já viveu um grande amor? Falou com tanta propriedade.

Joan, olhando diretamente nos olhos dela, respondeu com ternura:

– Ainda não vivi, mas penso e sinto que os movimentos dele estão a caminho. Como disse uma escritora americana chamada Helen Keller, "as melhores e mais belas coisas dessa vida não podem ser vistas ou tocadas, mas sim sentidas com o coração".

Martina se sentiu anestesiada com aquele momento, perguntando-se em silêncio, enquanto Joan lhe dizia tão lindas palavras, se ele existe mesmo. E Joan, com verdade nos olhos, também em segredo, pensava no quanto era prazeroso estar ali, com aquela linda mulher.

Joan, percebendo o vento forte que soprava naquela manhã, vindo das montanhas dos Andes, apesar do verão que já se iniciava, aproveitou para concluir:

– Martina, sentiu o vento?

– Sim. Forte e gelado – respondeu ela com os braços cruzados junto aos ombros.

– Pois bem. Se analisarmos o vento, chegaremos a uma conclusão óbvia, que inclusive virou clichê, que apesar de não o vermos, ele existe, pois o sentimos. Penso eu que os bons sentimentos, sejam eles de qualquer natureza, são mais do que a parábola popular do vento, pois se pelo simples fato o sentimos, e por assim já damos por certa sua existência, por que não pensarmos diferente? – propôs Joan.

– Como assim pensarmos diferente? Se assim como vento só o definimos porque somos capazes de senti-lo e não de vê-lo, não entendo como alterar essa ordem – avaliou Martina.

E Joan, adorando a interpelação, continuou:

– Está aí o que chamamos de um problema filosófico. Mas essa alteração da ordem é o que nos faz compreender que para os sentimentos não há uma ordem natural, posso conceber algo vendo ou não e sentindo ou não, o que vai me dar clareza de que estou sendo movido por aquilo é justamente a incapacidade de não conseguir determinar o que sentimos. Podemos determinar o que vemos, mesmo que seja apenas por nossa ótica, entretanto não podemos determinar dentro de uma razão o que sentimos, pois sentir é antes de tudo se reconhecer como vulnerável e dependente.

– Nossa, Joan, que confusão! – Muito confusa e envolvida com a reflexão, Martina ponderou: – Quer dizer que o fato de sentir traz a afirmação de que somos o tempo todo vulneráveis e não fortes? É estranho aceitar isso. Pois sempre ouvi que os bons sentimentos nos fazem mais fortes diante da vida.

– E concordo com isso, porém esse "se tornar mais forte" é o resultado de uma fragilidade permanente em nós, somos dependentes de amor e com essa dependência somos fortes e somos fracos, sendo assim, Schopenhauer na verdade não é inimigo do amor, pelo contrário, ele sabe exatamente a força e o poder que existem em algo que não se pode ter controle – concluiu Joan já com um pé na soleira da porta.

Despediram-se e cada um tomou seu rumo para sua sala de aula.

***

Martina entrou na sala atenta ao relógio. Percebeu que ainda tinha muitos alunos atrasados. Sentou-se com alguns que estavam a postos em suas carteiras, dando início a um bate-papo informal. Perguntou sobre eles, o que gostavam de fazer, como achavam que a disciplina estava indo e outros assuntos. Uma aluna disse que estava gostando muito das aulas dela e que achava diferente uma médica tão jovem ser professora. Martina ficou lisonjeada, e já chegando os outros alunos, resolveu mudar o formato da aula do dia, movida pelos diálogos filosóficos com Joan. Propôs à turma uma atividade diferente: que fossem todos com ela fazer uma rápida visita a um grupo muito especial.

Os alunos nem perguntaram nada. Animados, toparam na hora, pois aquele modelo de educação formal todos os dias já estava enfadonho, e nas aulas da professora Martina, apesar de ser uma novidade essa ação do dia, sair da sala de aula, eles sempre se sentiam mais leves, talvez pela juventude dela que os aproximava de uma forma especial.

E assim, foram caminhando para o portão. Passaram todos pelo senhor Pancho, que a essa altura, não tinha um ser vivo naquela universidade que não o reconhecia. Cada um fazia questão de lhe apertar as mãos, parabenizando-o pela atividade do dia anterior. Martina liderava a tropa, e cerca de 300 metros adiante, chegaram ao destino. Era um abrigo para idosos, que apesar de todos conhecerem e verem o prédio antigo em frente à universidade, poucos sabiam da realidade que ali encontrariam. Martina já esteve ali algumas vezes como médica voluntária. Entrou com os alunos, sendo recebida pela coordenadora do lar, uma senhora muito gentil, que com amor lutava para que aquelas pessoas pudessem ter a dignidade de uma velhice feliz.

Martina orientou os alunos para que ficassem à vontade para conversar com os velhinhos. E ali ficou observando uma alegria tomar conta daquele lugar, um encontro entre gerações. Jovens, prestes a se formar em medicina, se deliciavam com aquela oportunidade e aquelas pessoas idosas, muitas com o corpo enfermo e com os traços do tempo marcados na face. No semblante, o contentamento por aquela presença de boa energia dos jovens.

Os alunos não pareciam perceber o tempo passar, mas, a professora, preocupada com o retorno para a universidade, interveio delicadamente para que finalizassem a visita, agradecendo a todos pela disposição e alegria. E foram voltando novamente, caminhando para a universidade. Martina, se sentindo uma peripatética, foi provocando, durante o trajeto, o que eles sentiram em estar ali com aquelas pessoas. Cada um fazia questão de colocar a sua impressão, lembrando-se dos avós, tios e tias, pais e mães, de como era bom e importante reconhecer que o tempo está para todos da mesma forma, que aquelas pessoas, um dia, já foram como eles, jovens e com muita vida pela frente. Falaram de respeito, solidariedade, união, compromisso, amor e comunhão.

Em cada frase, uma chama de alegria inundava o coração de Martina, que, em silêncio, lembrava-se de Joan e da importância dele para aquele momento tão sublime com seus alunos.

Quarta caminhada

GUILLES DELEUZE: ALEGRIA E VELOCIDADE

A alegria não está nas coisas, está em nós.

Johann Goethe

Joan acordou com o celular tocando – havia configurado uma música africana como toque, gosto musical que adquiriu num trabalho que fez em Angola. Acordou assustado, e ainda assustado ouviu a mãe, dona Catalina, lhe desejar bom-dia num tom de voz bem alto, característico da sua descendência espanhola.

Pacientemente, ouviu a mãe discorrer sobre uma série de assuntos, todos desconexos, e ao passar de um para o outro, ela soltava alguma frase típica materna, como:

– Você não tem mãe, não? Tenho de ligar pra dizer que existo.

E ele, rindo, dizia que a amava e a lembrava com carinho que tinha passado o fim de semana com ela, e assim a conversa se ritmava entre gargalhadas.

Para Joan, esse contato diário com a mãe, mesmo que às vezes por telefone, era fundamental. Dona Catalina soava como um bálsamo para sua mente, com sua história de luta e perseverança, o que dava a ele o sentimento nobre de agradecimento por tê-la como mãe.

Afinal, ele havia nascido em uma família muito pobre, na favela de La Victoria, uma das mais antigas e representativas de Santiago, sobretudo por sua história de enfrentamento com os militares durante a ditadura de Augusto Pinochet, e, desde criança, conviveu com o mínimo. Era roupa usada ou o brinquedo quebrado doado por alguém, e outras privações que o impediram de viver uma infância mais feliz. Tinha dois irmãos mais novos do que ele e, aos quatro anos de idade, viu os pais se separarem – a mãe, cansada de uma vida oprimida, acometida diariamente a humilhações de um homem beberrão e mulherengo, resolveu por amor aos seus filhos acabar com aquela triste situação que causava tanto sofrimento a todos.

Tinha lampejos de memória de episódios envolvendo o pai, mas este não teve força alguma na formação do seu caráter. Joan tornou-se um cara simples, inteligente, que valorizava tudo o que fez até se tornar professor de filosofia. Foi *office boy*, lavador de carros, aprendiz de borracheiro, vendedor de bala em semáforos, tudo para ajudar no sustento da casa. A mãe acordava às quatro horas da madrugada, era faxineira na parte da manhã e tinha mais dois empregos, à tarde e à noite, para garantir que os filhos tivessem o que comer.

Essa trajetória não fez de Joan um adulto amargurado, revoltado ou depressivo. Com 35 anos de idade, era professor em uma importante universidade. Fez a faculdade com muito sacrifício, teve dois empregos para pagar o curso, pois não conseguiu ingressar na universidade pública.

Agora, com o seu trabalho, desfrutava de uma zona razoável de conforto, pois além de professor universitário, fazia palestras, o que lhe rendeu reconhecimento no seu país, como também nos países vizinhos, como Argentina e Peru. Com muito esforço, adquiriu seu próprio apartamento, um veículo do ano e alguma reserva para desfrutar das boas coisas da vida. Mas com um grande diferencial em tudo isso: nunca se esquecia de onde tinha vindo e quem eram os seus. Conseguiu dar uma vida confortável para a mãe e os irmãos. Era solidário com os amigos e estava sempre disposto a renunciar a sua zona de conforto por uma boa causa social. Um ativista humanitário, participando de movimentos sociais que buscavam a garantia de direitos, além de um defensor da democracia, sempre combatente e implacável a favor das minorias que, segundo ele, eram assoladas por uma dinâmica capitalista de exclusão.

E lá se foi Joan para a universidade, inspirado pela alegria da mãe. Estava confiante de que seria mais uma manhã com grandes surpresas, já na quarta caminhada peripatética com sua querida e encantadora Martina.

Desta vez, por causa do trânsito intenso, Martina chegou em cima da hora, mas isso não os impediu de entrarem na reflexão do dia já na primeira passada dela, ao sair do carro, com Joan, educadamente, abrindo e fechando a porta.

Joan começou a falar sobre alegria, contagiado por sua adorável mãe, que para ele era a alegria personalizada e revestida em ser humano. Como era bom estar imerso neste sentimento de se sentir alegre, apesar de saber de sua finitude! E assim, começou sua abordagem.

– Martina, poderíamos utilizar vários pensadores para refletir sobre o conceito de alegria, entretanto, tem um de que gosto muito da forma como construiu conceitos sobre o tema, é Gilles Deleuze. Para ele, era necessário invocar a alegria junto com a velocidade, para experimentá-las e pensá-las juntas, uma por meio da outra. Assim, para Deleuze, é necessário primeiro compreender que não se pode confundir alegria com ausência de esforço ou euforia. A alegria também pode ser, em algumas circunstâncias, advinda do que é horrível, aterrorizante e mortal. Por outro lado, também é preciso evitar confundir velocidade com rapidez, pois para Deleuze velocidade não tem a ver com pressa e sim com intensidade e evolução.

– Que interessante essa abordagem, nunca tinha pensado por esse viés – disse Martina.

– Esse é o efeito mais sintomático da ação filosófica, provocar a possibilidade de pensar o novo, saindo do olhar costumeiro. Mas voltando a Gilles Deleuze, pois vejo que a porta está cada vez mais se aproximando de nós – disse Joan entre risos, e continuou: – Deleuze fala de potência; segundo ele, cada vez que a atingimos, a alegria é liberada, então, estar alegre nos desperta para uma série de outras coisas, como para a criatividade, que é uma grande potência, não acha?

– Sim, pensando dessa maneira, associando alegria e velocidade, sendo que velocidade não é pressa e sim intensidade e evolução, certamente o conceito de potência se torna bem mais compreensível. Posso, então, a partir desse raciocínio, considerar que a tristeza, que é o estado inverso da alegria, é resultado da falta de criação, o que acaba impedindo que as pessoas desenvolvam suas potências criativas? – sintetizou ela.

Joan se encantava com aquela mulher, inteligente, humilde e autêntica. E meio desajeitado, se virou para ela e continuou a reflexão, pois já estavam a dois passos da porta.

– Ótima a sua constatação, creio também que as potências estão no campo criativo, e se conseguirmos levar a vida dessa forma, sendo criativo com as circunstâncias que ela nos oferece, em particular, com os problemas, saberemos manter a alegria sem nos preocupar com o tempo ou com a velocidade dela, e sim em viver a intensidade e a evolução, para nos sentirmos mais fortes e esperançosos.

Como sempre, se despediram sem palavras, mas dessa vez um abraço foi a surpresa do dia. Ficaram muito encabulados, o que fez com que Joan agisse rapidamente com as palavras, para não sucumbir ao frenesi que já tomava conta dele. Assim, disparando poeticamente:

– Isso é uma potência de alegria, abraçar é respirar junto.

Martina só o observava, tomada por algo que, aparentemente, já começava a preocupá-la. E se foram para suas aulas.

***

Joan entrou na sala e deixando a bolsa na cadeira, sentou-se sobre a mesa, hábito nada convencional para uma universidade tradicional como aquela. Os alunos ainda ocupando os seus lugares, enquanto ele viajava em pensamentos com Martina. Entre um e outro piscar de olhos, percebeu a aluna Marela com rosto avermelhado, o semblante bastante triste. Foi na direção dela com jeito, sem chamar a atenção da turma, perguntou se estava tudo bem e se poderia ajudar de alguma forma. A aluna, já com o emocional em profundo turbilhão, saiu da sala como um furacão, chamando a atenção de toda a turma. Joan pediu para ficarem em suas carteiras, que voltaria rápido para a sala e saiu à procura da aluna.

Ele a encontrou na escadaria que dava acesso a um dos pátios, perguntou se poderia se sentar ao seu lado. Ela consentiu com um gesto de cabeça, e ele simplesmente ficou ali por alguns minutos em silêncio, esperando a jovem se acalmar.

– Acalme o seu coração. Posso orar com você? – ele disse por fim.

Ela, sem entender direito, não se opôs, e Joan com muita fé, orou em voz baixa, quase ao ouvido da jovem:

– Senhor, abençoe a vida da Marela, não sei o que se passa na vida dela, mas sei que o Senhor está cuidando de tudo. Ela pode não entender, mas o seu propósito é sempre mais especial que o nosso, por isso rogo para que acalme o coração dela e que a paz entre em sua alma. Amém!

Marela, emocionada e surpresa, levantou a cabeça e disse:

– Nossa, professor, não sabia que você acreditava em Deus.

Joan, compreendendo a surpresa e considerando que havia um estereótipo de que filósofo não combina com crença divina, respondeu sorrindo:

– Minha querida, não só acredito como creio verdadeiramente que o Senhor preparou esse nosso encontro no dia de hoje e de uma forma muito especial. Deus não cabe na mente dos homens, por isso nunca pensei em utilizar a filosofia para construir ou desconstruir a existência d'Ele, pois não preciso estudar, analisar ou dissecar intelectualmente o Deus que conheço. O Deus que sinto, todos os dias me faz experimentar da sua graça, como estar aqui com você agora num momento em que está com o coração contrito, para que Deus possa me dar discernimento e sabedoria, não essas dos livros e conhecimentos desse mundo, mas condição de ser instrumento d'Ele para alegrar o seu coração.

Marela, chorando de emoção, o agradeceu pelas palavras e ambos permaneceram nas escadas por mais algum tempo, conversando. Joan acreditava ter uma característica muito especial, que o colocava muitas vezes em causa nas rodas intelectuais. Ele se autodenominava um socialista-cristão, por mais que recebesse críticas por causa desse posicionamento. Era firme ao argumentar e defender sua fé. Primeiro, não compreendia a fé como algo ritualizado, não a enxergava apenas dentro de uma instituição entre paredes. Para Joan, a fé era um sentir que ia além das explicações seculares ou intelectuais, uma experiência singular que não podia ser rotulada.

Durante muitos anos, ele se declarava ateu, e também acreditava que o fato de alguém se posicionar como ateísta já era por si só um ato de fé, e respeitava de forma incontestável essas diversidades das religiões. Mas no meio em que circulava profissionalmente, era muito comum o colocarem em dúvida por essa condição da fé cristã. Isso não era uma afronta, pelo contrário, era um estímulo que o fortalecia. Joan era tolerante com tudo aquilo que lhe era diferente e não fugia de sua luta pela dignidade humana.

O semblante de Marela foi se alterando e, quando já estava melhor, ela prendeu os cabelos e juntos voltaram para a sala de aula.

Todos os esperavam sentados. Ao entrar na sala de aula, Joan cumprimentou novamente a turma e escreveu em letras garrafais no quadro: **ALTERIDADE**. Sentou-se de novo sobre a mesa, balançando as pernas.

– Alguém conhece essa palavra? – perguntou ele.

Por alguns segundos, a sala permaneceu em silêncio, até que um aluno, utilizando rapidamente de um site de busca pelo celular, respondeu:

– Natureza ou condição do que é outro, do que é distinto, diversidade.

– Isso mesmo. Condição do que é o outro, respeito pela diferença, tolerância com aquilo que é distinto de nós. Em tempos em que o ódio toma conta de todo o mundo, o que certamente é um grande retrocesso da humanidade, em especial avaliando o quanto fomos capazes de criar, de inventar e de se reinventar nos últimos dois séculos. Criamos o avião, o telefone, o celular, fomos para a lua, interconectamos o mundo e uma série de outras tecnologias que estão à nossa disposição. Entretanto, em meio a tudo isso, nos encontramos frágeis nos conceitos de pertencer, de solidariedade, de amor ao nosso semelhante e de tudo que nos leve a refletir sobre o que é simplesmente ser humano.

Os alunos começaram a debater o assunto com entusiasmo, característica essencial das aulas de Joan. Arjel Domingues, o aluno mais quieto da turma, sempre de poucas palavras, muito observador e gentil com todos, e o grande destaque da equipe de futebol da universidade, sentiu um interesse incomum por aquele tema. Para surpresa de todos, ele levantou a mão e pediu a palavra. Até Joan se surpreendeu e permitiu que o aluno se manifestasse:

– Professor, estava pensando nesse tema, alteridade. E após ouvir o conceito e a reflexão provocada pelos meus colegas, tenho algumas considerações a fazer, me permite?

Joan, sem disfarçar a alegria de ver a firmeza com que Arjel se posicionou na introdução, mais do que rapidamente disse:

– A palavra é toda sua. Queremos ouvi-lo, Arjel.

Arjel se posicionou de forma que poderia olhar para todos da sala e começou a falar:

– Alteridade me faz pensar nesta turma, estamos desde o primeiro ano juntos prestes a nos formar, o que vai ocorrer no próximo semestre, se tudo der certo, e cada um de nós entrará num novo ciclo, a busca por trabalho, outras formações para nos especializarmos e novos desafios para continuar a vida. Mas ainda estamos aqui, e apesar de termos passado três anos e meio convivendo diariamente, percebo que a alteridade ainda não está entre nós. Não nos reconhecemos como iguais, e as nossas diferenças são muitas vezes compreendidas num campo perigoso, anulamos o que é diferente e nos aproximamos somente do que é conveniente. Gostei da proposta de hoje, professor, pois vejo muitos amigos aqui, às vezes mergulhados em sua zona de conforto, que não se preocupam com os colegas, que muitas vezes estão passando por situações difíceis e nem sequer são notados dentro dessa sala. Eu mesmo quase tive que parar a faculdade no ano passado, pois meu pai ficou desempregado e minha mãe passou por um tratamento doloroso ao enfrentar um câncer, que quase lhe tirou a vida. Por muitas vezes, vim pra aula com o coração machucado, triste, mas, para muitos, eu já estava rotulado como o aluno que fala pouco e só sabe jogar futebol. Por isso, meus amigos, faço um apelo aproveitando o conceito de alteridade: ainda há tempo para nos conhecermos e nos ajudarmos, sermos solidários uns com os outros, e que as nossas diferenças de sexo, cor, raça, religião sejam a nossa riqueza para que, depois de formados, mais do que futuros advogados, administradores, médicos, engenheiros, arquitetos, nos reconheçamos como seres humanos, com a maturidade de que precisamos do outro para viver.

Ao concluir sua fala, Arjel se sentou, mas toda a turma ainda permaneceu olhando para ele, anestesiada por aquele momento inesperado. Logo Arjel Domingues, o aluno mais introspectivo e comportado da turma, que até o som da sua voz os colegas mal conheciam, foi capaz de emocionar a todos naqueles dois minutos em que abriu a sua boca. Joan, de igual forma, em silêncio contemplava com emoção nos olhos a expressão de cada aluno diante daquela maravilhosa exposição de Arjel e, puxando as palmas, todos se levantaram em agradecimento e, formando numa grande roda, se abraçaram com emoção.

Quinta caminhada

JEAN-PAUL SARTRE: O AMOR, O SER E O NADA

Dê a quem você ama: asas para voar, raízes para voltar e motivos para ficar.

Dalai Lama

Enfim o fim de semana se aproximava. Chegou a sexta-feira, e Martina já se consumia ao saber que iria ficar dois dias sem a companhia do adorável filósofo. Ainda naquele fim de semana, participaria de um procedimento cirúrgico em Rauzito, que, apesar de arriscado, era necessário para que ele pudesse respirar melhor, e com uma chance de poder se alimentar pela boca e não por sondas. Estava alguns dias estudando com a equipe médica todas as implicações da cirurgia e tecnicamente via com bons olhos que tudo iria dar certo. Já havia se programado para ficar o sábado todo no hospital, antes, durante e depois da cirurgia, para acompanhar o quadro do seu pequenino paciente.

Do outro lado da cidade, Joan se angustiava ao lembrar que, depois da caminhada do dia, somente na segunda-feira teria a alegria de novamente estar com Martina, por isso se apressava em chegar o quanto antes na universidade para ter o deleite, como em todos os dias anteriores, de aguardá-la e poder desfrutar da sua presença desde o momento que seu carro apontava na entrada do estacionamento.

Como sempre, Joan não preparava a temática do dia, deixava fluir de acordo com o momento e durante a caminhada com Martina ia desenvolvendo a reflexão, muitas vezes considerando o cenário em volta, e também todo o seu encantamento como fundo poético para conduzir o pensamento. Martina mal estacionou e Joan, prontamente, estava ao seu lado com a porta aberta.

– Martina, hoje faremos nossa caminhada peripatética discorrendo sobre Jean-Paul Sartre. Tudo bem? – perguntou ele e continuou: – Em sua obra *O ser e o nada*, Sartre persiste na ideia de que fazemos de tudo para fugir à nossa liberdade. Que estamos sempre em busca de sermos apenas coisas, utilizando falas conformistas como "não é culpa minha" ou "é assim que sou", sem contar as inúmeras vezes que achamos alguém em quem colocar a culpa. Para Sartre, isso é o que ele denominava de má-fé, uma das principais táticas que cada um adota para não assumir sua liberdade. E, assim, Sartre conclui que a liberdade acaba se tornando uma condenação.

Martina, envolvida pela explicação de Joan, comentou:

– A liberdade partindo desse ponto de reflexão se torna mesmo uma condenação, e isso nos leva a pensar em outras situações da vida. Por exemplo, você não acha que o sentimento também nos deixa aprisionado, quando na verdade deveria nos deixar com uma sensação de liberdade?

Joan adorou o comentário e, em silêncio, pensou que nada era mais oportuno.

– Penso que se constatarmos que o que sentimos se torna um aprisionamento, não pode ser um bom sentimento – continuou ele. – E isso vale para qualquer relação de afeto, pode ser uma amizade ou um relacionamento amoroso. Considero também que os bons sentimentos, em vez de nos trazer uma condenação, nos contemplam com uma sensação de liberdade sem precedentes. Estar livre numa relação, seja qual for, certamente nos traz conforto e bem-estar, e nada é mais prazeroso do que sentir isso ao mesmo tempo.

Martina, pensativa, comentou:

– Concordo com você. Sem querer de forma alguma ser intimista, mas no meu último relacionamento, em especial nos meses que antecederam o término, o meu sentimento era de aprisionamento. Estar naquela relação se tornou um caminho distante da liberdade, já não podia mais ter as minhas vontades, apesar de saber que, numa relação, temos de abrir mão de algumas coisas e considerar as vontades do parceiro. Entretanto, me senti num processo de não me conhecer mais, e isso foi criando um sentimento de anulação e não de pertencimento.

– Entendo. Inclusive Sartre discorreu sobre essa noção de propriedade, pela qual se explica comumente o amor. Para ele, era embaraçoso essa apropriação do outro com a justificativa de amor: por que iria alguém querer se apropriar do outro, se esse outro é "faz-me ser". Para Sartre, na verdade, não desejamos o outro, mas queremos nos apoderar da liberdade desse outro. É como o tirano que escarnece o amor se contentando com o medo e a servidão do amado. Por isso, ele define que por essas e outras situações da vida estamos todos condenados a ser livres.

– Ter a liberdade como condenação é estranho. Lembrei agora de um episódio que aconteceu comigo em Viña del Mar. Por um período, logo após me formar em medicina, fui socorrista no hospital público de lá. Certa vez, num dos plantões, atendi um rapaz muito jovem, que entrou com um quadro grave no pronto-socorro. Estava todo cheio de perfurações de faca pelo corpo e apesar daquela situação de dor, estava consciente e a todo momento perguntava pela mãe. Para acalmá-lo, disse pra ele ficar tranquilo que sua mãe já estava no hospital e que logo poderia vê-la. E ele, com os olhos arregalados e grudados em mim, me dizia que novamente havia decepcionado a mãe e já poderia imaginar o quanto ela estaria triste por ter confiado nele mais uma vez. Continuei conversando com ele, enquanto as enfermeiras faziam os procedimentos de limpeza dos ferimentos. Disse que esse era o papel das mães, acreditar sempre que os filhos podem ser melhores e que não era para ele se preocupar. Enfim, o encaminhei para o centro cirúrgico, pois o estado dele estava se agravando e logo o colocamos na unidade de terapia intensiva para os procedimentos operatórios. Quando terminou a cirurgia, e felizmente ocorreu tudo bem, passando pela recepção, perguntei quem era a mãe daquele jovem paciente, e ela se identificou chorando e muito aflita, querendo saber do filho. Era uma mulher que aparentava muito sofrimento. Sentei-me com ela num sofá no canto da porta principal, e enquanto conversávamos procurei acalmá-la. Ela me contou o que tinha acontecido, briga de rua e outras coisas, e também me disse que ele já tinha estado na prisão várias vezes. Cumpria a pena e, ao sair, em pouco tempo, já cometia um novo crime e logo estava de volta à prisão. Ela já não aguentava mais esse sofrimento, e, com um ar mais calmo por saber que o filho estava bem, me disse com uma serenidade absoluta que o filho não sabia lidar com a liberdade e achava que em seu destino já estava traçada aquela situação interminável de tristeza. Dei-lhe um abraço bem forte, pois se tem uma coisa que me deixa profundamente comovida, Joan, é o choro de uma mãe por um filho. Aquela situação nunca mais saiu da minha cabeça – concluiu Martina, emocionada ao reviver aquela triste lembrança.

Joan, percebendo a comoção aflorada nos olhos dela, a abraçou carinhosamente. Foi a primeira vez que chegou tão perto dela. E, em voz baixa, continuou a reflexão:

– Martina, mais do que o conhecimento intelectual que pudéssemos ser capazes de produzir, entendo que a maior inteligência que podemos ter é a capacidade de sentir a dor e o sofrimento do outro, o desejo de acolher pela alma, isso é de fato ser humano. Talvez esse "faz-me ser" de Sartre nos faça perceber, em situações como essa, o quanto somos vulneráveis nessa efemeridade de tudo que respira.

Martina, secando as lágrimas, se sentindo acolhida naquele gesto de carinho, teve por um instante a sensação que estar ali envolta pelos braços de Joan, sem dúvida, era o melhor lugar do mundo naquele momento.

E ele, como numa transmissão de pensamento, teve o mesmo sentimento, pôde pela primeira vez sentir o cheiro da pele dela e de seus sedosos cabelos, que exalavam um aroma romanceado. Era para ambos algo muito especial, mesmo que não pudessem ter condições de avaliar como em tão pouco tempo alguém surgia na vida de uma pessoa e tudo passava a ser diferente. O mundo parecia ter mais beleza, a presença se tornava prazerosa, os risos se soltavam involuntariamente, as palavras saíam muitas vezes estremecidas pelo nervosismo do encantamento, as mãos transpiravam e aquele arrepio na espinha tornava tudo singular. Era realmente inusitado e desconhecido para eles esse sentimento da presença, de querer estar perto, nem que fosse apenas para que, em silêncio, se contemplassem com os olhos, expressando a paz que sentiam pela proximidade, que não era física, mas de alma e coração.

Joan, já angustiado por saber que o tempo havia terminado e iria ficar o fim de semana sem a agradável presença de Martina, arriscou na emoção, disparando:

– Sei que combinamos que nossas reflexões durariam o tempo do caminho do estacionamento até a entrada do prédio principal. Mas, caso não esteja com tantos compromissos para o fim de semana, e queira fazer um passeio para conversarmos, será um grande prazer.

Martina, surpreendida pelo convite, sem saber disfarçar o contentamento, disse:

– Trabalho hoje e amanhã, mas no domingo tenho a tarde livre e podemos sim combinar para conversarmos. Mas com uma condição.

– Aceitarei qualquer condição – Joan disse, com os olhos fixos nela.

E ela, sorrindo, continuou:

– Que esse nosso passeio não seja computado entre as dez caminhadas de reflexão em nosso curso de imersão filosófica dos sentimentos.

– De forma alguma, deixaremos isso para segunda-feira. Neste passeio, só valerá falar de nossas histórias, de onde viemos, o que gostamos ou não. Combinado? – Joan mal podia conter a alegria.

– Ótimo. Então, proponho um café na Bellavista às 16 horas.

Joan consentiu e, radiante com a possibilidade do encontro, se despediu dando-lhe um beijo no rosto. Por alguns segundos, parecia que o mundo tinha parado para eles, então, se olharam em silêncio, o que já era normal, e assim se foram para suas aulas.

***

Martina entrou na sala lentamente, cumprimentou os alunos que já a aguardavam. Em silêncio, esperavam que ela se manifestasse e iniciasse a aula do dia, mas Martina não disse nada, virou-se para o quadro e se pôs a escrever sem parar. Os alunos ficaram apenas observando e se entreolhando com gestos, para ver se alguém havia compreendido o que deveriam fazer. Até que um tomou coragem e perguntou a ela se era para copiar o conteúdo. Martina se virou para a turma e com o alto astral de sempre, respondeu:

– Não é necessário copiar, estou escrevendo um trecho poético da medicina, afinal, vocês sabiam que a nossa profissão está diretamente ligada à poesia?

Os alunos permaneceram silenciosos, fizeram gestos com a cabeça sinalizando desconhecer essa relação. – Pois é, meus queridos, a poesia está em tudo que é humano. Mesmo nos momentos em que a nossa profissão requer frieza, não podemos apagar a chama do sentimento. Lembro-me de uma paciente, que após uma luta intensa contra uma enfermidade grave antes de falecer, o que foi inevitável, pegou em minhas mãos no leito, já muito fraquinha e com o corpo sucumbido pela doença, com os olhos refletindo a despedida desta vida, me disse: "Minha filha, sei que nos próximos minutos não estarei mais aqui, obrigada por tudo, vi o seu esforço e todo o seu empenho como médica para tentar me ajudar. Mas o meu maior agradecimento não tem a ver com a sua função médica, mas sim por dar humanidade ao seu trabalho. Fique em paz!". Depois dessas palavras, os olhos daquela mulher se fecharam para este mundo, as enfermeiras que me acompanhavam ficaram emocionadas com a despedida, que certamente marcou nossa vida.

Dayla, uma aluna muito atenta, rapidamente levantou a mão, e com a permissão para falar, foi rápida em fazer sua consideração:

– Professora, acredito muito que esse seja o objetivo mais importante da medicina, humanizar as relações. Ontem, fui ao hospital com a minha avó de 86 anos, e o médico nem olhou para nós e muito menos prestou atenção no relato da minha avó sobre suas dores durante a consulta, parecia um robô.

Martina, acolhendo a interpretação da aluna, continuou:

– Dayla, a sua constatação é importantíssima. Não podemos deixar que a prática da medicina se aprisione a esse comportamento robótico. Utilizei esse exemplo da paciente, que antes de falecer me expôs olhos nos olhos esse testemunho, sem nenhuma pretensão de afirmar a minha bondade, pelo contrário, acredito que também em várias situações fui negligente em não humanizar um atendimento ou outro. Talvez pelo excesso de plantões seguidos, de várias noites sem dormir, o que acarreta o desgaste do corpo, da mente cansada e tudo isso que gera uma impaciência. Por isso, é sempre oportuno revisitarmos qual é o nosso papel. Percebam que comecei falando de poesia, e acredito que para muitos de vocês até agora isso não fez sentido, não é? Talvez, estejam se perguntando onde estava a poesia naquela fala de despedida da vida, numa situação de morte. Pois bem, a poesia, no meu entendimento, não está em retratar apenas as coisas boas da vida e que trazem o aspecto afetivo, em que o poeta geralmente tem interesse sobre o que está em observação. A poesia também está na dor, no sofrimento, na adversidade, nos problemas e no acaso que muitas vezes nos gera o infortúnio. E ter serenidade num momento em que tudo isso possa nos acometer, é ver a beleza de se perceber humano, deixando que todas as vaidades se esvaziem, para que simplesmente possamos nos sentir agraciados. E é neste momento que medicina também é palco para a poesia, que não precisa estar necessariamente em verso ou prosa, está no comportamento e nas atitudes que os definem, considerando que lidamos dia após dia com a efemeridade da vida, nada melhor que isso para se compreender também como vulnerável, e, através dessa aceitação, servir da melhor maneira possível o nosso semelhante.

Encerrando a fala, Martina observava sua turma em completa meditação sobre a reflexão que acabara de fazer. O que era uma novidade para eles, pois suas caminhadas com o filósofo definitivamente despertaram nela um novo jeito de ver o mundo. Martina conhecia bem seus alunos e sabia que uma boa parte deles era de famílias de médicos, que muitos estavam ali apenas para dar continuidade à essa tradição. Os alunos tomados pelo entusiasmo da reflexão começaram a colocar suas observações e comentários debatendo mais o assunto, o que acabou resultando na proposta de um projeto social de humanização da prática médica. E, para surpresa de Martina, chamaram o projeto de "Sociedade dos Médicos Poetas Vivos".

Enquanto todos se agitavam com as ideias, Martina, em pensamento, viu sentido em continuar sendo também professora. Experimentou um profundo prazer com aquele momento, ao promover a arte de pensar, de imaginar e, mais importante, de despertar a esperança, que somente através da educação é capaz de se fazer com plenitude.

Café filosófico

JOAN E MARTINA: AMOR COM FILOSOFIA

Não há ninguém, mesmo sem cultura, que não se torne poeta quando o amor toma conta dele.

Platão

Até que enfim, chegou o domingo tão esperado por Martina. Afinal, pela primeira vez, eles teriam um encontro de verdade. Não que as caminhadas filosóficas deixassem de ser para ambos também encontros agradáveis, mas era diferente, agora não estariam na universidade.

Martina teve um plantão noturno na sexta-feira e trabalhou o dia todo no sábado, acompanhando de perto os procedimentos aos quais Rauzito fora submetido. Ela estava confiante, tudo tinha saído da forma prevista. Ele se recuperava no quarto e, com os olhinhos abertos, estendeu suas pequenas mãos como se estivesse agradecendo o amor de Martina, tão verdadeiro por aquela criança. Mesmo com toda a tensão que havia passado, não deixava o cansaço tomar conta de si, mas, a essa altura, assim como Joan, estava ansiosa para chegar o horário combinado. Acordou logo cedo no domingo, saiu pra uma corrida nos arredores e aproveitou para almoçar com os pais, que haviam chegado naquela manhã de um congresso de medicina na Argentina. E para variar, o assunto continuava o mesmo: dinheiro, carro novo, eleição do clube que frequentavam... Naquele domingo, ela não sabia que os pais tinham um convidado especial para almoçar com eles: um rapaz da mesma idade de Martina, que havia estudado com ela boa parte do ensino médio.

Os pais do jovem eram amigos de longa data dos pais de Martina e, depois de passar uma temporada em Harvard para concluir uma especialização em administração de empresas, retornava a Santiago para assumir os negócios da família. Martina já presumia a intenção dos seus pais, em especial de sua mãe, que sempre armava essas situações, pensando que ela devia se interessar por alguém da sua "classe social", de família abastada e de tradição. O rapaz era até gentil e educado, mas não saía do trivial ao qual ela tinha pavor. Ele possuía as mesmas pautas de prioridade elitista, exibindo suas viagens, o fato de ter estudado em Harvard, o carro importado, o jogo de tênis com os amigos do clube e outros assuntos que, mal sabia ele, não interessavam nem um pouco a ela.

Os pais logo perceberam a reprovação de Martina, quando mais uma vez se sentia desrespeitada com essas tentativas absurdas. Ela já nem mais participava da conversa, e só se preocupava em sair da mesa olhando para o relógio, na ansiedade de se encontrar com Joan. Inventou uma desculpa e educadamente se despediu do rapaz, atentando para as iniciais do nome dele bordado na camisa impecável, e em silêncio saiu pensando: "muito engomado!".

***

Joan deletou o sábado da mente. Se pudesse ser dono do tempo, faria com que na sexta-feira de manhã, após ver Martina pela última vez, o tempo já tivesse avançado para as 16 horas de domingo. Mas, como isso era impossível, teve de se contentar com o frio na barriga pela expectativa de chegar logo o momento em que poderia estar com ela.

Já estava a caminho do bairro Bellavista, que, para ele, era o lugar ideal para esse encontro. O bairro era todo colorido, com muitos restaurantes, lojas, cafés, arte e um charme que deixava Santiago ainda mais interessante. As construções antigas com trabalhos incríveis de artistas locais simbolizavam o lado poético chileno em todas as ruas. Caminhando um pouco mais para o interior do bairro, lá estava uma das três casas do poeta Pablo Neruda. A residência, uma construção em forma de navio, atraía milhares de turistas, que, além de se deliciarem com a gastronomia do bairro, ainda reviviam um pouco da história do cidadão chileno mais famoso de todos os tempos. Atualmente, era um museu que abrigava livros, objetos e recriava os antigos ambientes da casa, com móveis da época e outras peculiaridades do excêntrico poeta.

Chegando quase uma hora antes do combinado, Joan já procurava o seu café preferido para esperar por Martina. Escolheu a mesa de frente para a rua, diante de um painel grafitado, com os escritos “Para que nada nos separe, que nada nos una”, com a assinatura de Pablo Neruda.

Martina já estava no bairro, aproveitava para ver as bijuterias com a pedra nacional do Chile, o lápis-lazúli, uma pedra azul-escura, muito utilizada pelos faraós do Egito. Como também era encontrada nos Andes chilenos, se tornou uma marca nacional, que estava à venda em galerias de artes e joalherias de todo o país.

Tanto Martina como Joan se deram conta de que não haviam combinado o local e nem haviam trocado telefone. Joan pediu para o garçom reservar a mesa e saiu à procura de Martina pelas ruas. Ela, olhando para o relógio, também caminhava na esperança de encontrá-lo. Por sorte, já na primeira rua, Joan a avistou caminhando com os olhos em movimento de radar, possivelmente também à procura dele. Ele foi na direção dela e, chegando mais perto, ela o percebeu. Sorriram e com um longo abraço se cumprimentaram. Joan fez a sugestão da cafeteria em que havia reservado uma mesa e para lá foram caminhando entre risos de canto da boca, como adolescentes no primeiro encontro.

Joan gentilmente afastou a cadeira para que Martina pudesse se sentar e começaram a conversar sobre o local, o bairro e de como chegaram até ali. Deram muitas risadas sobre o fato de não terem trocado os números de telefones e foram aos poucos se conhecendo melhor. Martina confirmou o grande apreço que Joan tinha com café. Inclusive disse a ela que boa parte da sua formação que envolve muita leitura foi realizada naquela mesa que estavam. Joan também ficou sabendo que ela adorava arte, em especial grafite, apesar de muitos não compreenderem, até achando que se tratava de vandalismo e desqualificando-o como arte. Para ela, o grafite representava as várias identidades que transitavam pelos grandes centros urbanos, contemplando os olhares, os potenciais e a mensagem que o artista deixava com o seu desenho, sua escrita e seus símbolos. Por isso, aproveitou o assunto para mencionar o painel do outro lado da rua.

– Joan, olhe que lindo aquele painel com uma frase de Pablo Neruda. Preste atenção nos detalhes, as cores que o artista utilizou, repare nas curvas da escrita, é uma verdadeira obra de arte.

Joan, em pensamento, vibrava com a estratégia de ter optado por aquela mesa.

– Adoro Pablo Neruda, inclusive vou inseri-lo entre as dez caminhadas peripatéticas que ainda temos pela frente – disse ele, sorrindo.

Ambos se sentiam muito confortáveis juntos. Olhavam-se como paisagens durante a descontraída conversa, sorriam e até demonstravam nervosismo com as mãos, em especial Martina. Em alguns momentos, as palavras saíam atropeladas pela ansiedade, mas, logo, o prazer de estarem ali, na companhia um do outro, já se ajustava com a surpresa inesperada de cada descoberta, dos gostos, dos olhares, era como se se conhecessem a vida toda. De repente, a música ambiente da cafeteria surpreendeu Joan. Ele adorava a melodia da canção dos compositores Donato y Estéfano. Mas a versão que estava sendo tocada era uma linda interpretação num dueto da cantora mexicana Thalia e do cantor porto-riquenho Pedro Capó: *Estou apaixonado*.

Comentou com Martina o quanto apreciava a música, propondo a ela prestar muita atenção ao ouvi-la, pois a letra revelava uma linda poesia de amor. Ela passou a escutar a melodia e uma pausa se instalou entre eles. Joan pegou nas mãos dela e ficaram ali com a canção ao fundo, os olhos fixados um no outro, dando ritmo àquele momento tão especial e diferente para eles.

Martina não havia até então encontrado alguém com tamanha gentileza, educação natural, sensibilidade e com tanta verdade nos olhos como Joan. Sabia que era pouco tempo para avaliar tudo isso, mas algo muito real dava a ela essa percepção, o que acalmava seu coração quando estava diante dele.

Enquanto a música com o refrão invadia o ambiente, Joan sentia a melodia com seu coração e, serenamente, continuava com os olhos fixos nos dela, e assim ficaram sem perceber o momento em que a música terminou. Só voltaram a ouvir os barulhos do ambiente quando o garçom diante deles perguntava o que desejavam. Ambos riram e pediram café.

Martina, mesmo estando ali com Joan, o que sem dúvida alguma era muito especial para ela, não conseguia deixar de olhar o telefone celular para checar se havia alguma ligação do hospital, pois temia que houvesse uma alteração no quadro de Rauzito.

– Martina, tem algo lhe incomodando, não? – Joan perguntou ao perceber uma preocupação no olhar dela.

– Nossa, me desculpe! Estou checando meu celular porque um paciente passou por várias cirurgias nestas últimas semanas. Ontem o submetemos a um novo procedimento médico e o seu estado exige muito cuidado.

– Por favor, não fiz essa pergunta devido ao fato de você checar o telefone, sei que é médica e não deve ser fácil se desligar de tudo. Mas percebi que tem alguma coisa lhe deixando inquieta. Se precisarmos ir embora... – disse Joan com delicadeza.

– De forma alguma, Joan, estou aqui por quero estar. Apesar de nos conhecermos há pouco tempo, me sinto acolhida em sua presença. Posso ser a Martina que gosto de ser e isso me faz ficar à vontade com você. É que esses últimos dias não foram fáceis mesmo. Tem uma criança de que gosto muito e acompanho a sua doença desde o primeiro dia que chegou ao hospital. Minha nossa! Olha eu já despejando tristeza em nosso primeiro encontro.

– De forma alguma. Por favor, quero muito ouvir sobre essa criança, pelo jeito você se envolveu com essa situação. Continue.

– Me envolvi muito mesmo. É que tem algo muito especial no garoto, não sei lhe explicar exatamente o porquê tenho isso tão forte comigo. O nome dele é Rauzito, tem uma doença degenerativa e, aos poucos, foi perdendo a musculatura, seus movimentos ficaram desordenados e, com o tempo, deixou de andar, de falar e hoje vive entre cirurgias, sessões intensas de fisioterapia e uma quantidade absurda de medicação para conter as dores, que envolvem todo aquele corpinho.

Joan ouvia atentamente e podia sentir a emoção de Martina em cada menção a Rauzito. Ofereceu um copo de água para ela e fez uma pequena intervenção:

– Martina, sempre ouvi que vocês, médicos, são preparados para lidar com o sofrimento das pessoas, e que a morte está o tempo todo desafiando-os. A morte é o fator a ser combatido?

– Não acredito que alguém esteja preparado para lidar com o sofrimento dos outros, e muito menos os médicos, pelo contrário, vejo alguns colegas que adotaram como estratégia o distanciamento, agem de forma fria e as pessoas passam a ser para eles números de atendimento. Eu não consigo ser assim, e sei que é um dilema toda vez que assumo a responsabilidade sobre a vida de alguém. Digo isso não para ser moralista ou a madre Teresa da medicina, mas sim pelo fato de que sou tão vulnerável como médica quanto qualquer pessoa, e gostaria de ser cuidada com respeito quando não estivesse em condições de fazer isso por mim mesma. E com relação à morte, em hipótese alguma pode ser combatida, o que podemos fazer é aliviar o sofrimento e, dentro das possibilidades, levar às pessoas que sofrem os males do corpo alternativas de viver melhor, enquanto a morte não chega, o que é inevitável para todos nós.

Joan, pensativo, considerava que boa parte do enredo da filosofia tratava da existência e da efemeridade da vida, de onde viemos e para onde vamos, e ali conversando com alguém que o tempo todo se deparava com o início e o fim, ficava imaginando o quanto isso era complexo, pois uma coisa é teorizar sobre o que é vivo e por assim estar sujeito a sucumbir com a morte, e outra é experimentar gradualmente essa situação.

– Martina, estava aqui com as minhas neuroses filosóficas, tentando praticar a empatia com você nessa missão que é a sua profissão. Quando você mencionou os médicos que adotam estratégias frias para não se envolverem emocionalmente com os pacientes, talvez o fato de você não conseguir fazer isso, e acredito de verdade que não seja para se dizer boazinha ou qualquer coisa parecida, me faz pensar sobre o "estar ao lado", que vai além da consciência com presença e presença sem consciência.

– Como assim, consciência com presença e presença sem consciência? Confuso isso – disse Martina interessada em compreender.

– Na verdade não tenho a resposta pra isso, é que ouvindo o jeito com que você fala de Rauzito, com carinho e muito afeto, mesmo nos termos técnicos, acho que não deveria ser um dilema pra você, pelo contrário, deveria ser motivo de alegria por ter consciência de tudo isso.

– Espere, me deixe entender... essa consciência é o que você chamou de "estar ao lado"?

– Isso mesmo. Pois esse "estar ao lado" é o que deixa você consciente do que deve fazer e, muitas vezes, é bem mais importante do que o conhecimento técnico e intelectual. "Estar ao lado" nos dá a possibilidade de nos tornar um observador mais sereno, mesmo quando achamos que a emoção em muitas situações nos tira o foco, é lá que mora o repouso, o sentir-se bem e fazer o outro se tornar ser, sem estereótipos ou anulações das identidades. Talvez por isso muitos profissionais, e não somente na medicina, mas em muitas outras áreas que lidam com o fator humano, sustentem a impermanência, ou seja, estão lá presentes, mas não conscientes e, por isso, tudo passa sem sentido.

– Bem interessante a sua abordagem. Sou sintomática demais e, talvez por isso, sofra mais do que deveria. Mas, agora com essa sua reflexão, vou me encorajar como observadora e profissional do "estar ao lado". Gostei disso – disse Martina se sentindo agraciada com a conversa.

Joan achou graça da conclusão dela, porém quis ainda emendar o assunto:

– Martina, também me acho muito sintomático, aliás, vou além disso, sou sinestésico ao extremo, preciso tocar, ver e sentir para controlar a minha consciência com presença. Mas não nego as minhas imperfeições e, assim como você, não tenho nenhuma vocação para mártir ou para um cidadão de conduta irrepreensível. Tenho muitas coisas em minha vida que preciso ordenar e outras que se fazem urgentes renunciar.

Ela, surpresa, fez questão de fazer uma inserção:

– Você, Joan, com imperfeições e coisas a renunciar? Interessante, pois desde que o conheci, suas atitudes são sempre de excelência e retidão moral.

– Você se engana se assim me concebeu! Tenho muitas coisas a melhorar em meu caráter. É bem verdade que a fé me ajuda muito a controlar a minha natureza, mas já fiz muitas pessoas sofrerem por irresponsabilidade e imaturidade. Algumas vezes, consciente; e outras, sem me preocupar de verdade com o sentimento alheio. Por isso que me sinto na obrigação de não querer essa vestimenta moral, que muitos tentam me dar. É bem certo que progredi bastante nos últimos anos, mas ainda me sinto aprisionado a coisas do passado, sentimentos ruins, atitudes que tomei e que causaram muita decepção em pessoas que gostavam muito de mim. No entanto, o meu desafio agora é buscar temperança e humildade de espírito, e tenho plena consciência de que é para o resto da minha vida – Joan concluiu, sentindo que era sua obrigação demonstrar sua fraqueza para Martina, diferente do passado que tinha uma imperiosa necessidade de mostrar-se forte, imbatível e corajoso.

Ficaram se entreolhando e, com as pontas dos dedos, trocaram carícias sem nenhuma palavra por alguns segundos.

E depois passaram a tarde interagindo, Joan entre um café e outro, contou um pouco da sua história de vida, das privações sociais, da luta de sua mãe dia após dia, para não faltar o alimento a ele e aos irmãos. Martina chegou até a se emocionar com os relatos da trajetória dele, até se tornar professor universitário. Ela nem imaginava todas as dificuldades que ele teve de enfrentar.

Na medida em que ele contava sua história de vida, a admiração dela só aumentava e cada vez mais lhe dava a certeza de que Joan era o oposto de todos os homens que havia conhecido. Joan achando que já tinha falado demais começava a perguntar sobre ela, as coisas de que gostava, a escolha da medicina e outras curiosidades que, enquanto ela respondia, ele também ficava ainda mais encantado.

Martina, diante da história de Joan, das suas origens e dificuldades, se sentia até envergonhada em lhe falar da sua vida, uma vez que cresceu em meio ao luxo e riqueza. Mas Joan, com a gentileza de sempre, foi aos poucos tirando dela o que queria saber, em especial sobre os olhares que ela tinha para a vida. Isso a deixava ainda mais encantada, pois geralmente os homens são atraídos pela beleza física, pelo culto ao corpo e invariavelmente por sexo. Joan era diferente, e ela sabia disso, mesmo o conhecendo tão pouco.

Os assuntos foram fluindo e, para ambos, era como se já se conhecessem há muito tempo. Tinham muitas afinidades, modo de pensar a vida semelhante, conversaram sobre respeito, solidariedade, amor ao próximo e outros temas que para muitos seria incompreensível num primeiro encontro, considerando que os tempos são outros, e os relacionamentos, como diria Zigmund Bauman, perderam a solidez, ficando tudo no estado líquido, se esvaindo pelo imediatismo dos interesses, sem se preocupar com o que é importante nessa vida.

Já estava anoitecendo e os dois, sempre preocupados com suas obrigações – mesmo que a vontade fosse de nunca mais sair daquele café –, se despediam fazendo questão de deixar claro o quanto foi agradável o encontro, a conversa, as risadas, a música e, o mais importante, se conhecerem melhor. Joan a acompanhou até o local onde Martina havia estacionado o carro, abriu a porta para ela e, como se tudo parasse ao redor deles, se olharam fixamente, o que já era comum entre eles se despedindo com um carinhoso abraço e à moda antiga – sem beijo e nem outra tentativa mais calorosa de aproximação física. Enquanto ela ainda se ajustava no carro, abriu o vidro e, com um charmoso "até amanhã para a nossa sexta caminhada", foi-se embora.

***

Joan ficou mais um tempo andando pela Bellavista. Foi até a casa de Pablo Neruda e ficou imaginando como o poeta colocaria em versos momentos como o que acabara de ter com Martina, um encontro que não houve beijo de boca, mas sim de alma, pois era assim que ele se sentia.

Tirou do seu bolso um pequeno bloco de anotações, no qual registrava situações inusitadas e leituras sociais, que costumava fazer tendo o cotidiano como fonte de inspiração. Sentou-se na mureta que dava de frente para aquela casa onde um dia tinha residido um observador de alma, o grande Pablo Neruda e se pôs a escrever o seu poema favorito:

Não te quero senão porque te quero,
e de querer-te a não te querer chego,
e de esperar-te quando não te espero,
passa o meu coração do frio ao fogo,
Quero-te só porque a ti te quero,
odeio-te sem fim e odiando te rogo,
e a medida do meu amor viajante,
e não te ver e amar-te,
como um cego.
Talvez consumirá a luz de janeiro,
seu raio cruel meu coração inteiro,
roubando-me a chave do sossego,
nesta história só eu me morro,
e morrerei de amor porque te quero,
porque te quero amor,
a sangue e fogo.

Em cada verso fazia uma pausa. Tentava sintonizar com a voz do poeta em sua memória, e como admirador de Pablo Neruda, se sentia incorporado por uma tempestade de sensações, para as quais somente a poesia podia dar tom, cor e harmonia.

Alternando o olhar entre o bloco de anotações e o espaço ao seu redor, se levantou e foi caminhando em direção ao seu carro, que já nem se recordava mais onde tinha estacionado. Lia e relia sua escrita daquele marcante poema de Neruda, indissociável da história chilena. E pensava que se um dia não fosse mais possível se encontrar com Martina, ele a esperaria mesmo quando não estivesse à espera. Era, sem dúvida, uma tarde para ser lembrada com carinho.

Sexta caminhada

JEAN-JACQUES ROUSSEAU: O DESPERTAR DO CORAÇÃO

Proibir algo é despertar o desejo.

Michel de Montaigne

Martina e Joan chegaram cedo à universidade na segunda--feira, ainda agitados com o encontro do dia anterior. Joan estava inspiradíssimo para a reflexão do dia e, após abrir a porta do carro de Martina, iniciou a caminhada mencionando o barulho das árvores e o canto dos pássaros. Martina ainda se organizava para esvaziar a cabeça de outros pensamentos e se entregar àquele momento de aprendizado poético e filosófico.

Como sempre, Joan apresentou o filósofo do dia: Jean-Jacques Rousseau.

– Rousseau foi um dos mais controversos pensadores de todos os tempos, entre suas principais obras está o *Contrato social*, em que escreve um ensaio sobre a origem das línguas. Nesse belíssimo texto, tem um capítulo dedicado a refletir esse conceito de "origem", relacionando-o com a música.

Martina delicadamente o interrompeu com um gesto, lembrando-se da música na cafeteria, que não lhe saía da cabeça, sem que ele pudesse imaginar que ela, desde a noite anterior, já tinha ouvido umas cem vezes, e fez um comentário sobre ele gostar tanto de música.

Joan assentiu com um gesto de cabeça e continuou:

– Sim, gosto de música e não tenho nenhum preconceito com os gêneros, acho interessante como os sons harmonizados movimentam a nossa vida, em especial quando eles se apropriam do que o coração está sentindo, e o resultado disso certamente é tocar a alma.

Martina ficou envergonhada, mas se manteve atenta, apesar do rosto ficar vermelho, sua característica singular nessas situações.

E Joan olhava fixamente para os olhos dela, continuando a reflexão:

– Recapitulando, quando Rousseau faz essa relação da origem das línguas com a música, ele faz uma retrospectiva histórica, dizendo que com as primeiras vozes é que se formaram as primeiras articulações ou o que ele prefere conceituar "os primeiros sons". Como exemplo, Rousseau cita que, assim como a cólera arranca gritos ameaçadores, em que a língua e o palato se articulam, deixa claro que a voz da ternura, que é mais doce, é a glote que modifica, tornando-a um som. Sendo assim, pode se constatar que apenas os acentos são nela mais frequentes ou mais raros, as inflexões mais ou menos agudas, segundo o sentimento que se acrescenta. Olhe que lindo este trecho do ensaio: "Com as sílabas nascem a cadência e os sons: a paixão faz falarem todos os órgãos e dá à voz todo o seu brilho, desse modo, os versos, os cantos e a palavra têm origem comum. À volta das fontes de que falei, os primeiros discursos constituíram as primeiras canções; as repetições periódicas e medidas de ritmo e as inflexões melodiosas dos acentos deram nascimento, com a língua, à poesia e à música, ou melhor, tudo isso não passava da própria língua naqueles felizes climas e encantadores tempos, em que as únicas necessidades urgentes que exigiam o concurso de outrem eram as que o coração despertava".

Martina se sentia ignorante diante de tanto conhecimento e timidamente comentou:

– Nossa, Joan, nunca passou pela minha cabeça que da música pudéssemos tirar tanta reflexão. Rousseau parece que realmente conseguiu fazer uma leitura interessante pra sua época. Essa última constatação, sobre o que outrora se valorizava muito centrado no despertar do coração, entendo que é a grande essência da música, podemos ouvir para refletir, sentir saudades, lembrar alguém por um momento especial, dançar movido apenas pelo balanço, ou relaxar pela calmaria da harmonia, mas ser tocado, como você disse, pela alma, é muito mais verdadeiro.

– Você me fez lembrar um trecho que li num livro judaico, um livro de um rabino brasileiro chamado Nilton Bonder, se não me engano o nome do livro era *Fronteiras da inteligência*, que dizia assim: "Quando os músculos não dão conta, o cérebro se faz necessário. Quando o cérebro não dá conta, o coração se faz necessário. Mas quando o coração não dá conta, a alma se faz necessária". Acho fantástica essa sequência músculos, cérebro, coração e alma – concluiu Joan já de frente para a porta, que sinalizava o fim da caminhada do dia.

Eles se despediram e, na rotina de sempre, seguiram para suas salas de aula quase levitando. Para Martina, em especial, esses encontros filosóficos eram algo arrebatador, nunca havia se imaginado numa situação dessas. Era tudo muito diferente do meio em que vivia. Estar com Joan parecia um repouso absoluto, e o turbilhão de sentimentos a deixava em estado profundo de contentamento. Sentia-se bem ao lado dele, e mesmo que tudo isso fosse apenas uma ilusão, era confortável imaginar o próximo encontro.

***

Joan entrou na sala e, após o costumeiro cumprimento animado à sua turma, já foi fazendo uma proposta para a aula do dia:

– Pessoal, hoje tenho uma sugestão que acho que vocês vão gostar. Não trataremos de conteúdo formal, faremos uma caminhada peripatética pelas dependências da universidade. Certamente, vocês se lembram do conceito de Aristóteles sobre peripatético, então, de comum acordo, vamos escolher um tema que seja do interesse de todos para refletirmos durante o trajeto, combinado?

Mais que depressa, a turma se animou com a atividade e, após uma rápida discussão sobre o tema para a reflexão, escolheram dissecar o conceito de intolerância. Joan achou oportuno, considerando que os tinha provocado na aula anterior com o conceito de alteridade, percebia uma grande mudança em curso no relacionamento entre os alunos. Estavam mais unidos e os "grupinhos" foram aos poucos sumindo, era como se fossem um time agora, todos por todos, e isso lhe dava uma grande satisfação.

Começaram a caminhar primeiro pelos corredores, chamando a atenção das outras salas. Todos pararam para olhar o que estavam fazendo. E seguiram percorrendo todas as dependências internas da universidade e, depois que terminaram, foram para a área externa; mesmo em movimento, todos estavam concentrados na discussão da temática. Joan não interferia, apenas fazia o papel de moderador, deixando que eles colocassem seus olhares e impressões sobre o quanto a intolerância anula o nosso semelhante, nos deixando medíocres diante do que é verdadeiramente importante. Vários exemplos foram dados por eles, da zona de conforto que muitos ali possuíam ao entendimento de quanto esse recorte econômico de igualdade se torna pequeno diante do simples fato de aceitarmos que somos humanos, independente de qualquer condição social, e merecemos respeito para viver com dignidade.

Joan foi conduzindo o trajeto até chegarem a uma grande e frondosa árvore. Então, pediu a todos que fizessem um círculo e se sentassem. Solicitou que esperassem um pouco ali, que ele iria só buscar uma coisa e já voltava; e insistiu que a reflexão continuasse. Foi até o carro e pegou o seu velho e sempre companheiro violão, que ganhou de presente de uma tia muito querida, que já havia falecido. Não era um violão qualquer, tinha valor sentimental, pois em muitos momentos tristes de sua vida foi aquele instrumento que aliviou-lhe o coração.

Voltou rapidamente, e a turma se animou ao ver o violão. Pediu a cada um que prestasse atenção na música que iria tocar, sem se preocupar com a letra. Todos estavam em silêncio e até mesmo os que sabiam tocar violão se impressionaram ao ver o quanto Joan fazia parecer tão fácil manejar aquele instrumento. Começou a dedilhar as cordas como se fosse um aquecimento e logo a harmonia do som foi se encontrando em cada troca de notas com muita agilidade nos dedos. Joan disse que cantaria uma música, que mais do que a letra, a harmonia dos sons lhe dava uma grande sensação de paz.

E num tom baixo de voz, começou a cantar a música de um importante intérprete chileno, Eduardo Gatti, chamada *Quero paz*. Os alunos rapidamente entraram na melodia, alguns tímidos por ser um gênero distante do que ouviam atualmente, mas, incentivados pelo professor, cantaram todos juntos, repetindo o refrão várias vezes. Joan percorria seus alunos com os olhos atentos, observando a expressão de cada um.

Quando terminou de tocar, todos estavam relaxados, sem contar os enamorados, que durante a canção se entreolhavam com gestos de carícia. Joan colocou o violão de lado e fez a seguinte pergunta:

– Perceberam como a música tem o poder de nos fazer iguais?

Todos concordaram prontamente, e o debate foi aberto mais uma vez. Muitos levantavam as mãos querendo se manifestar e, após várias opiniões, chegaram à conclusão de que a intolerância é para aqueles que não sabem o que é viver e admirar o simples, como uma música que toca o coração, desperta a memória e aconchega a alma.

Martina percebeu que alguns de seus alunos estavam observando algo pela janela. Perguntou o que estava acontecendo e uma aluna disse que era o professor de filosofia com aulas diferentes. Ela se aproximou da janela e avistou Joan com sua turma embaixo da árvore. Observava com atenção a alegria dos jovens em torno do professor. Voltou o olhar para a classe e, num estalar de dedos, pediu a todos que a seguissem. Os alunos, sem questionar, rapidamente foram saindo da sala, pois já estavam se acostumando com as atividades ao ar livre, mesmo que, para eles, ainda fosse uma novidade da professora, mas adoravam essa inovação, considerando o curso de medicina com todas as tradições e formalidades.

Joan e seus alunos perceberam que tinham visita, Martina à frente da sua turma vinha aos risos e, se aproximando, disse:

– Professor Joan, podemos nos juntar a vocês nesta roda de violão com filosofia?

Joan sem conseguir disfarçar o prazer da visita inesperada, acolheu-os com os olhos e pediu que abrissem mais o círculo.

– Pessoal, essa é a professora dra. Martina e sua turma da medicina, que vocês conhecem bem. Vamos recebê-los com muita música.

E assim, com muita alegria e pedidos de outras canções pelos alunos, passaram mais alguns momentos em perfeita comunhão. Não tinha como esconder, Martina e Joan estavam de fato apaixonados e a beleza desse sentimento era algo surpreendente para ambos. Joan, com um histórico de relacionamentos malfadados, e Martina até então desiludida em encontrar alguém que despertasse seu coração, e que a conversa não fosse sobre carros importados, roupas de grife, viagens internacionais e outras ostentações. Para eles, mesmo tendo vidas completamente diferentes, a simplicidade era o que mais os encantava.

Joan não se cansava de olhar para Martina, o que a deixava sem graça e com as palavras em curto-circuito. Um momento muito engraçado para eles, pois se viam como adolescentes vivendo o primeiro amor. De fato eram dois adultos, mas tinham a sensação de que era, sim, o primeiro amor. Se amar é um despertar de vontades que vão além da presença física um do outro, para Joan e Martina essas vontades muitas vezes eram cumpridas pela memória, pois o fato de se lembrarem dos momentos em que estavam juntos, mesmo que peripateticamente filosofando, trazia conforto e repouso para eles.

Sétima caminhada

FRANCESC TORRALBA: SER GENEROSO AINDA QUE SE APROVEITEM

> Se você é capaz de tremer de indignação a cada vez que se comete uma injustiça no mundo, então somos companheiros.
>
> Che Guevara

Joan acordou naquela manhã disposto a dizer para Martina o quanto ela era importante na vida dele. Mesmo tendo grande talento com as palavras, sendo um exímio orador, por um bom tempo ele ficou ensaiando diante do espelho como iria abordá-la sem deixá-la constrangida. Pensou em poesias que retratassem o que estava sentindo para recitar a ela, mas quando se voltava para o espelho, achava que estava sendo patético e infantil. Já era hora de ir para a sétima caminhada, e ficou angustiado só de pensar que já estava acabando o combinado. Sofria por não saber o que seria depois da décima. Pegou o carro e partiu para a universidade.

Martina, da mesma forma, se sentia em convulsão de sentimentos, não conseguia tirar Joan um segundo da cabeça. No plantão do dia anterior, se abriu para uma amiga no hospital entre um atendimento e outro. A amiga, também médica e sua confidente desde a época da faculdade, não acreditava que ela estava finalmente apaixonada. E rindo provocava Martina relembrando que ela dizia há não muito tempo que não iria se apaixonar tão facilmente e que os homens estavam cada vez mais fúteis e desinteressantes.

O que Martina e Joan não sabiam era que definitivamente o amor tinha chegado para eles. Mesmo que não o tivessem procurado ou que a paixão não estivesse em seus planos, teriam de compreender que nem na filosofia e muito menos na medicina achariam explicações para algo tão inesperado e intenso.

Ao se encontrarem, cumprimentaram-se com um longo abraço, como se seus corpos estivessem imantados. Assim tão juntos, sentiam verdadeiramente uma paz pelo aconchego. Joan tomou coragem e se pôs de frente para ela e, quando resolveu colocar para fora o seu sentimento, foi surpreendido com um forte "bom-dia" do senhor Pancho. Ambos ficaram envergonhados e procuraram disfarçar com um abraço apertado naquele simpático senhor que todos os dias era tão atencioso. Logo que o senhor Pancho saiu, Joan não conseguiu mais organizar a coragem com as palavras, resolvendo entrar logo na reflexão do dia.

Martina, também desconcertada, sem saber como se comportar, fechou a porta do carro para dar início à caminhada filosófica. Joan começou apresentando o pensador que os acompanharia pelos próximos minutos.

– Hoje, falaremos um pouco de um filósofo bem atual, que apesar de ser mais conhecido na Europa, sua obra tem se estendido para os países da nossa língua. Trata-se de Francesc Torralba, nascido em Barcelona em 1967 e, apesar de ainda jovem, é um dos mais proeminentes pensadores da Espanha. Torralba tem um livro chamado *O valor de ter valores*, no qual aborda com muita clareza temas atuais sobre as relações humanas. Para Francesc, ter o valor de ter valores é praticar a autenticidade, enfrentando os que se apresentam irônicos, cínicos e hipócritas. É esticar a corda e não se contentar com o que todo mundo faz e com o que todo mundo diz. Ter valor é apostar no agora, não esquecendo o passado, nem imaginando um futuro sempre melhor que o presente.

– Que lindo isso. É inspirador! – exclamou Martina com entusiasmo.

– E não para por aí. Torralba nos convida para uma reflexão sobre não se conformar com as coisas que nos acontecem; para ele, temos de nos esforçar mesmo quando os outros zombam de nós, ser generoso ainda que se aproveitem, perdoar mesmo sendo difícil e ser humilde no reino dos soberbos. Ele ainda nos dá uma receita para lidarmos com a efemeridade, ser fiel, viver com pouco, não ostentar as próprias qualidades e fazer o outro se sentir bem com a nossa presença, dando a mão para quem precisa de ajuda, lutar por um mundo melhor, ainda que ninguém veja e muito menos perceba. Isso tudo para ele é no que consiste o valor de ter valores, de pertencer, de reconhecer nossas vulnerabilidades e com elas a nossa humanidade – encerrou Joan, pegando nas mãos de Martina.

Pálida, ela logo se entregou aos toques dos dedos que carinhosamente se entrelaçavam aos seus com gestos suaves. Chegaram à porta e Joan se virou para ela, com muita delicadeza beijou suas mãos e com um abraço se despediram, sem se aprofundarem na reflexão, não somente pelo tempo, pois Francesc Torralba certamente ainda renderia muito naquele dia.

***

Joan entrou na sala de aula e viu que poucos eram os alunos presentes. Olhou para o relógio para confirmar se estavam atrasados ou ele adiantado, mas os colegas confirmaram que os outros iriam de fato faltar, como tinham ido muito mal na prova de estatística resolveram se reunir para estudar, pois o exame de recuperação seria na parte da tarde. Joan compreendeu perfeitamente a atitude dos alunos, apesar de não gostar de faltas. Resolveu então fazer uma roda e propôs uma reflexão sobre "Ter e ser". Lançou duas perguntas para eles:

– O que vocês pensam sobre ter e ser? Vocês são o que possuem ou o que possuem é o que faz vocês serem?

Benedicto, um aluno muito participativo nas aulas, pediu a palavra. Apesar da sua alta estatura, tinha uma voz calma e falava com tranquilidade.

– Professor, tenho pensado muito sobre isso. Sou um dos poucos bolsistas desta turma, e isso graças a minha mãe que trabalha na limpeza da universidade, então, como ela é funcionária, me garante o benefício de estar nesta sala. Todos os dias, tomo cinco conduções para chegar até aqui, e faço isso com prazer e dedicação, pois além dos objetivos que tenho com essa formação, dou muito valor ao esforço da minha mãe, que me proporciona esta oportunidade. Sei o quanto faz falta em casa eu não estar trabalhando. Digo isso, pois outro dia, estava conversando com alguns colegas no pátio central, quando chegaram alguns rapazes do último ano do curso de Direito discutindo sobre carros, mulheres, dinheiro e grandes festas. Um deles se gabava do clube de alto padrão que frequentava, definindo por um recorte econômico quem eram os seus amigos e os seus iguais, como o senhor já frisou em algumas aulas. Então, entendo que o ser não está mais numa condição de valores morais ou da ética, esse ser está sendo confundido por um ter ilusório, que não se sustenta. Por isso, penso que devemos compreender esse ter como um privilégio e não um diferencial, que, enganosamente, como no caso daqueles rapazes, por acreditarem mais no que possuem materialmente, dá a eles o direito de achar que são melhores do que os que nada tem.

Joan se sentia orgulhoso ao ouvir explanações tão maduras daqueles jovens alunos, como a que acabara de fazer Benedicto. Observando os outros, percebeu neles um semblante de contentamento pela reflexão do colega, e por isso não faziam questão de acrescentar nenhuma palavra. Joan prosseguiu:

– Suas considerações fazem todo sentido, Benedicto, pois ter não é ruim, pelo contrário, quem aqui não gosta de uma boa casa, um bom carro, uma boa roupa e de poder desfrutar outras tantas coisas legais que o dinheiro pode nos proporcionar? O grande problema está em não deixar o ter te possuir, pois é aí que mora o perigo da zona de conforto. Quando você fala sobre o ter como condição de privilégio, é uma abordagem muito interessante, sobretudo no que se refere às relações sociais. Não podemos usar nossa condição econômica para definir os nossos iguais, por isso é essencial aprender a ser, para aprender a ter e finalmente com essa ordem bem estabelecida é que se aprende a conviver. Podemos dar significado social a esse ter quando somos capazes de não cair na efemeridade das ilusões do mundo material, pois tudo se torna sem sentido quando valorizamos mais as coisas do que as pessoas, e quando não, colocamos tudo ao nosso redor, mesmo aquilo que é humano num processo de coisificação. Por isso, ser e ter andam juntos e não são condições dissociáveis, precisamos um do outro para que sejamos nós mesmos. Pois "eu sou eu porque vocês são vocês", é essa loucura filosófica que dá identidade para a nossa existência.

E assim ficaram até o término da aula, numa conversa harmoniosa e, como o grupo naquele dia era pequeno, Joan conseguiu conhecer um pouco mais aqueles que ali estavam. Divertiram-se muito naquela manhã fazendo filosofia, e Benedicto, mesmo com toda aquela luta, demonstrava sua satisfação em aprender, que em muito lembrava a história de Joan. O jovem assumia o protagonismo, sempre fazendo considerações pertinentes, que só os resilientes eram capazes de reconhecer.

Joan foi direto pra casa naquele dia, tinha muitos trabalhos para corrigir e, para variar, o prazo para entrega das notas na secretaria da universidade estava acabando. Sentou-se na escrivaninha do escritório improvisado num dos quartos do seu apartamento, com livros por toda parte e, com profunda concentração, foi lendo trabalho por trabalho, sem parar nem para beber água.

Terminou a tempo para ainda se deliciar com um vinho, se ajeitando em sua rede esticada na sacada, olhando para o lindo pôr do sol.

Com esse cenário, Joan já navegava nos seus pensamentos com a lembrança de Martina. Ficava se lembrando dos detalhes, como o seu lindo sorriso, as faces avermelhadas quando estava envergonhada, os dedos passando entre os cabelos com um gesto delicado e a face em movimentos suaves, contrastando com seus lindos olhos. Ele podia sentir seu cheiro, seu corpo envolto num abraço, pois, para ele, bastava apenas observá-la e nada mais. Era de fato um sentimento que não trazia condenação, sentia-se livre ao saber da existência dela. Joan se rendia, finalmente, ao reconhecer que estava de fato apaixonado, sentia uma explosão de alegria, e se esse tal de amor existisse, ele já não se preocupava mais em compreendê-lo, não queria explicações seculares, pois sentia que isso também fazia bem espiritualmente. Ele se sentia em paz com Martina, apenas isso.

Oitava caminhada

JESUS CRISTO:
UM MINISTÉRIO INTEGRAL

Pois, que adianta ao homem ganhar o mundo inteiro e perder a sua alma?

Marcos 8:36

Martina não pregou os olhos naquela noite. Além de substituir uma colega no plantão da madrugada, se revezava com o médico plantonista nos cuidados da ala infantil. Rauzito teve picos de febre alta e ela estava preocupada com a visão dele, que já apresentava problemas. Deixou o hospital o dia raiando, passou em casa apenas para um banho e um reforçado café da manhã, antes de ir para a universidade.

Apesar de todo o cansaço, sentia disposição ao se lembrar do filósofo que nas últimas semanas tinha impactado como ninguém a sua vida. Assim como Joan, ela também experimentava uma tranquilidade na presença dele, superando qualquer outro pensamento que a colocasse em dúvida, em especial aqueles de que "homem é tudo igual". Para ela, tinha algo muito especial nele, principalmente por ele ter sido sincero com relação a sua vida, não deixando que ela o visse como se fosse perfeito.

Encontraram-se como sempre seguindo os mesmos ritos da primeira caminhada. E antes do primeiro passo peripatético, Joan lhe disse que precisava prepará-la para o autor que nortearia a pauta do dia. Martina estava ansiosa e curiosa; até então, nenhum dos pensadores apresentados por ele teve esse diferencial de uma introdução especial. E Joan, para não perder tempo, pegou nas mãos dela e pediu licença para fazer uma oração, o que para Martina era algo inusitado, pois foi criada sem esses referenciais de fé ou religião. Mas consentiu, sem entender direito o que viria pela frente. Ele, num tom baixo e calmo de voz, pediu sabedoria e discernimento a Deus para falar de Jesus, e que Ele abençoasse a conversa daquele dia, e que eles pudessem alimentar o coração e a mente. Martina não compreendeu a lágrima que escorreu dos seus olhos, pois sentiu algo diferente depois da oração de Joan, era como se tivesse sido acolhida por alguma coisa que não conseguia identificar.

Joan a abraçou e assim iniciaram a caminhada. Ele, com uma expressão de paz, a olhava com ternura; e Martina se sentia acolhida com aquela expressão. Não contendo sua curiosidade, antes de Joan iniciar a fala, ela lhe fez uma consideração:

– Joan, me desculpe o jeito na hora da oração. Apesar de acreditar em Deus, na minha casa, os meus pais nunca tiveram essa inclinação de fé, mesmo num país como o nosso, com fortes tradições religiosas, mas acho que isso tem a ver com a formação deles. Confesso que hoje foi a primeira vez que alguém rezou comigo dessa maneira, sei que parece surreal. E nunca imaginei que você tivesse uma fé. Sempre ouvi falar que vocês, filósofos, são em grande parte ateus, e que só acreditam na razão para explicar tudo neste mundo.

Joan sorriu como se já esperasse essa constatação da parte dela, o que era muito comum acontecer, quando alguém descobria esse seu lado religioso. Para ele, era algo compreensível e lidava tranquilamente com essas situações.

– Entendo perfeitamente suas considerações – ele a fitou nos olhos e começou a falar. – Mas, primeiro, é importante deixar claro que não sou religioso, o que tenho de fato, que é para minha vida um alimento diário, é a minha fé em Jesus Cristo, o marceneiro de quem falei. Por mais que para muitos isso possa parecer estranho e até mesmo descabido, em especial no meio intelectual no qual transito, não deixo nada abalar ou desconstruir minha crença, pois o que tenho com Deus é muito especial e, diariamente, experimento a bondade d'Ele comigo e com a minha família. Jesus, para algumas interpretações históricas, é somente um personagem, visto que, mesmo os que não acreditam no seu poder divino, não colocam em causa que de fato Ele existiu, mas somente como um homem, que marcou o seu tempo e entrou para a história como qualquer outro ser humano que tenha realizado grandes feitos. Quando sou interpelado por acreditar em Jesus como meu salvador, mesmo que o tom seja de gozação, não me preocupo, pelo contrário, em silêncio, peço pela vida dessa pessoa. Não uso a minha fé para espalhar, como muitos autointitulados enviados de Deus nesta terra, que utilizam das vestes morais que a religião pode ofertar, para em nome de Cristo deflagrarem grandes contendas com seus semelhantes. Quero juntar as pessoas, por isso, não me desgasto com debates para desconstruir a fé de ninguém, em especial de pessoas que possuem outras crenças ou não possuem crenças, apesar de achar que o ateísmo também é uma crença. E Jesus é a minha grande inspiração, por isso, comecei com uma oração, pois diferente dos outros pensadores que já abordamos, se estivermos lendo suas obras e surgir alguma dúvida, não temos como perguntar ao autor, considerando que muitos já morreram e os que estão vivos não estão ali no momento da leitura. Já com Jesus Cristo tudo é diferente, da leitura da Bíblia a uma conversa como essa somente entre nós dois, Ele está aqui, por isso, a leitura dos livros bíblicos são inspiradores, pois o autor está sempre presente.

Martina, emocionada, prestava muita atenção nas palavras dele. Ela sentia muita verdade em tudo que ele dizia, e mesmo não tendo nenhuma manifestação de fé, sucumbia a uma vontade de ouvir e conhecer mais.

Joan continuou:

– Jesus, em Seu ministério, não ficou preso às tradições da sua época, esteve em lugares, que, para os religiosos fervorosos da época, eram inconcebíveis. Acolheu os doentes, abraçou os que o buscavam, abençoou prostitutas, alimentou os famintos e nunca se recusou a estar entre os que precisavam d'Ele. Jesus não olhava para as pessoas com desdém, estava sempre disposto a sofrer com os que sofriam e tirar o fardo dos tristes e oprimidos. Ele nos ensinou a amar de uma forma muito verdadeira, sem esperar nada do outro. Sabe, Martina, muitas vezes vejo pessoas que se dizem cristãos, teatralizando os ensinamentos de Jesus, sem viver a verdade que Ele nos propagou. Vão à igreja e cumprem um ritual de obrigações, e no dia a dia são intolerantes, maledicentes, não perdoam, julgam e se colocam acima dos outros. Não obstante, Friedrich Nietzsche, em uma das suas várias críticas à religião, disse que não tinha nada contra o cristianismo, e sim contra os cristãos de sua época, que no seu entendimento, pregavam uma coisa e viviam outra.

A essa altura, Martina estava impressionada pela forma com que Joan se colocava em relação a sua fé. Despertando nela um forte desejo de conhecer mais sobre Jesus, que evidentemente já tinha ouvido muito, mas sempre dentro de uma perspectiva religiosa, e não com essa realidade que ele a demonstrava.

Joan, com a preocupação de estar sendo inconveniente com a reflexão, ou invasivo demais, perguntou a ela se estava tudo bem e se poderia dar continuidade, pois a porta de chegada se aproximava deles. Com os olhos marejados, Martina respondeu que queria ouvir muito mais sobre o assunto. Joan continuou:

– Martina, certamente você conhece a oração do Pai Nosso, a única que Jesus nos ensinou. Quando vou à igreja, e digo "quando vou", pois não sou um frequentador assíduo, tenho a convicção de que o templo está no meu coração, mas também tenho a clareza de que a fé vem pelo ouvir, por isso a necessidade de ir aos cultos para ter comunhão. E não sei se você já percebeu isso, e não somente na igreja, mas em qualquer outra situação que um grupo de pessoas se reúne para fazer essa oração, fico observando a velocidade com que a fazem, sem nem parar para sentir o que estão falando, e alguns nem respiram, já querendo que o "amém" chegue logo para encerrar. Acho isso estranho, pois essa oração é a mais linda manifestação de amor em todo o ministério de Cristo. Através de cada verso, Jesus nos proporciona a redenção, a esperança, o perdão, a necessidade de amar, o reconhecimento da dependência de Deus, o nosso alimento, gratidão e muitos outros significados em como viver aqui neste mundo.

E Joan pediu que ela analisasse, enquanto fazia a oração lentamente:

Pai nosso que estais nos céus,
Santificado seja o vosso nome,
Venha a nós o vosso reino,
Seja feita a vossa vontade,
Assim na terra como no céu.

O pão nosso de cada dia nos dai hoje,
Perdoai-nos as nossas ofensas,
Assim como nós perdoamos
A quem nos tem ofendido,
E não nos deixeis cair em tentação,
Mas livrai-nos do mal. Amém.

– Percebe a riqueza em cada palavra, é um amor puro, com essa oração, Jesus apenas quer que nos aproximemos do que é bom, que traga paz, respeito, livramento daquilo que é ruim, perseverança e comunhão entre os nossos semelhantes.

Joan fez uma pausa, pois estavam de frente para a porta e o tempo já havia se esgotado. Mas disse que já estava concluindo e Martina não se importava com mais nada, pois estava muito envolvida com a reflexão do dia. Então, Joan concluiu:

– Lembrei-me de uma situação que aconteceu com um amigo muito querido. Na época da faculdade, tínhamos um grupo de oito amigos, sempre estávamos juntos, de festas a jogar futebol nos fins de semana ou ir num bar para apenas conversar. No último ano da faculdade, esse amigo resolveu nos revelar um segredo. Já tinha percebido algumas semanas antes que uma tristeza o abatia, sempre com ar de preocupação, o que chamava a atenção, pois ele sempre foi muito alegre e estava sempre sorrindo. Nos fez um convite para ir na casa dele comer uma pizza, e com um enorme suspense, dada a nossa curiosidade em saber o que de tão importante ele queria nos dizer, ficamos esperando ele tomar coragem e começar a revelar o tal segredo. Depois de um silêncio dramático, ele foi direto ao assunto dizendo que era homossexual e que já não aguentava mais esconder isso das pessoas, em especial de nós que estávamos sempre juntos. Ficou novamente um silêncio, mas todos demonstraram estar do lado dele, dando força e coragem para enfrentar tudo que viesse pela frente. Depois de um tempo, essa demonstração de amizade foi se revelando não ser tão forte assim para poder suportar o preconceito de alguns desses amigos. Já não conseguíamos mais nos reunir como antes, o grupo foi se dividindo e acabou que esse amigo sentiu que ele era o problema de tudo. Nesse imbróglio todo, um dia, outro amigo e eu, que em nenhum momento nos afastamos dele, o convidamos para ir a um restaurante novo, que acabava de ser inaugurado na área central da cidade. E, durante a conversa, pedimos a ele que não se sentisse culpado por nada, e aqueles que se afastaram apenas demonstraram sua incapacidade de amar, mas que um dia Deus mostraria isso a eles. E nesse instante ele me questionou, sabendo da minha fé, se Jesus estaria triste com ele, pelo fato de ser homossexual. Confesso que a pergunta me fez parar por segundos e refletir sobre a resposta que lhe daria, e olhando direto em seus olhos, disse que Jesus não faria outra coisa a não ser abraçá-lo. Que Jesus não olhava para vestes, apenas para o nosso coração e que, no tempo d'Ele, lhe daria as respostas de que precisava. E o abraçamos demoradamente, para que ele percebesse o quanto era especial para nós.

Martina, guarde em seu coração que Jesus tem algo muito especial para cada um de nós, mesmo que muitas vezes tenhamos dificuldade de compreender pelos infortúnios que a vida nos oferece, entretanto, em tudo há um propósito, mesmo que seja na dor, no vale e na perda, Ele cuida de nós.

Imediatamente, Martina se lembrou de Rauzito e comentou:

– Quer dizer que esses propósitos de Deus e os Seus desígnios estão também na dor e no sofrimento? Fico pensando como pode uma criança, sem maldade, pura e inocente, passar por um sofrimento tão grande como está passando o Rauzito. Deus também está ali?

Joan, pacientemente, respondeu:

– Sei o quanto aos olhos desse mundo é difícil compreender algumas coisas, por exemplo, como pode Deus deixar milhares de pessoas sofrerem todo o tipo de violência, serem consumidas pela pobreza, ou por uma doença cruel como essa que está acometendo o frágil Rauzito, que é apenas uma criança? Sou muito questionado por minha fé com essas interpelações que se resumem em: onde estava Deus em tal e tal situação. Digo isso, pois eu me pego com esses pensamentos, afinal sou humano e vulnerável a tudo que acontece nesta vida. Mas creio, em especial nesta situação que você vive com essa criança há mais de noventa dias nesse sofrimento sem fim, que Deus não está na doença dele, não está no sofrimento por ela causado e muito menos na culpa que acham que Ele deve ter. Deus está no amor que gratuitamente você disponibiliza para o Rauzito, no abraço diário que o envolve, nos olhinhos de gratidão daquela criança, que mesmo sem poder falar, andar e correr, lhe afaga a alma lhe dando a certeza de que tudo vale a pena.

Martina, em lágrimas, abraçou Joan e juntos rezaram pelo Rauzito. Sentiam que Jesus estava entre os dois naquele momento. Ao término, Joan agradeceu a Deus pela oportunidade da vida e carinhosamente beijou as mãos dela. Despediram-se em profunda comunhão, e uma paz absoluta os acompanhou durante todo aquele dia.

Nona caminhada

HANNAH ARENDT E MARTIN HEIDEGGER: PARA O CORAÇÃO O TEMPO NÃO PASSA

A saudade é o que faz as coisas
pararem no tempo.

Mário Quintana

Aquela noite parecia não terminar para Joan. Por várias vezes foi para a cama tentar dormir, mas o sono insistia em não chegar. Estava inserido num turbilhão de reflexões, além de consumido pela ansiedade de ver Martina novamente. Pegou o violão e se sentou na sacada. Ficou ali olhando para o céu estrelado de Santiago, sem perceber o tempo passar. Quando se deu conta, o dia estava para amanhecer. Tomou um banho demorado, preparou o café e ficou um tempo ainda se preparando para enfrentar as emoções do dia que se iniciava.

Com Martina não foi nada diferente. Ela chegou do hospital e, após um banho restaurador, se debruçou na leitura de uma Bíblia que tinha ganhado havia muitos anos de um paciente e guardava no criado-mudo ao lado da cama. Apesar da sua formação em medicina exigir muita leitura técnica, ela sempre viu a Bíblia como um livro difícil de compreender, mas se lembrava das palavras de Joan, que disse que diferente de outros livros, o autor da Bíblia estava ali o tempo todo. Quando conseguiu dormir, já era alta madrugada. Não demorou para ser acordada pelo despertador do celular, que já lhe agraciava os ouvidos com sua nova configuração musical: *Estou apaixonado*.

Não perdeu tempo e, em meia hora, estava de banho tomado, pronta para começar o dia e, o melhor, filosofando sobre o amor.

Cumprindo o ritual de sempre, Joan a esperava no estacionamento para a nona e penúltima caminhada peripatética. Quando ela chegou, ao sair do carro com Joan segurando a porta, foi surpreendida por uma linda rosa e, à moda antiga, ganhou um beijo em suas mãos. Martina nunca sabia como agir diante de tanto cavalheirismo. Abraçaram-se carinhosamente e, não muito diferente dos outros dias, Joan, para não perder o raciocínio ao olhar para ela, já foi iniciando a reflexão.

– Hoje vamos falar de Hannah Arendt e Martin Heidegger. Não exatamente sobre suas obras ou conceitos filosóficos, que deixaram um grande legado para a história. Tratarei de uma particularidade entre Hannah e Heidegger, que, apesar de registros históricos, foi pouco explorada diante da beleza que o assunto emerge.

– Nossa, estou curiosa pra saber qual a particularidade – comentou Martina.

Joan sorriu e, por um instante, mergulhou naqueles olhos negros em perfeita combinação com a pele alva como a neve daquela linda mulher. Mas se recompôs rapidamente.

– Quando eles se conheceram, em 1925, Hannah tinha apenas 19 anos e ouvira falar de um professor que estava encantando a todos por suas concepções filosóficas. – Joan começou a introduzir o tema. – Ela correu para se inscrever em seu seminário e ficou muito entusiasmada já no primeiro contato. Esse professor era Martin Heidegger, que imediatamente foi tomado por uma sensação estranha ao olhar para aquela aluna linda e inteligente. Àquela altura, ele tinha apenas 36 anos e já fazia fama por sua singularidade de dar nova vida ao pensamento. Vinte e cinco anos depois, Heidegger ainda revisitava, através da memória, a luz daquele olhar, que cintilava ao cruzar com o seu quando estava dando aula. Seus pensamentos, ao longo de todos esses anos, resistiram às tormentas, aos silêncios e ao afastamento.

Martina estava concentrada e, por impulso, comentou:

– Nossa, Joan, que linda essa expressão "revisitar através da memória". Lembrei de um poema que li uma vez, não recordo o nome do poeta, que diz assim: "Tudo que a memória ama é eterno", e faz todo sentido quando revisitamos a memória, pois ela tende a guardar sempre coisas que impactaram nossa vida.

Joan concordou, e como era conhecedor profícuo de poesias, aproveitou a deixa:

– Esse poema é de uma poetisa brasileira chamada Adélia Prado, e o final o deixa ainda mais verdadeiro e bonito: "Tudo que a memória ama é eterno. Te amo com a memória, imperecível". Lindo não?

Martina sentia as pernas tremerem diante daquele complemento maravilhoso. E sem graça, disse:

– Pelo jeito, é imperecível como esse amor de Hannah e Heidegger.

– Sim, a paixão é imediatista, mas o amor, não. E no caso deles era amor, sem nenhuma dúvida. Que nunca se apagara, durante todo o tempo, cada um a seu jeito, eles reviviam através da memória os impactos daqueles poucos contatos que haviam tido, pois nunca conseguiram se livrar disso, mesmo com tantas e tantas outras pessoas, que já haviam passado pela vida deles. Mas era de amor que se tratava, e nem o pensador da grande obra *Ser e tempo*, conseguiu se blindar desse sentimento, pois era humano. Hannah e Heidegger, por muitos anos, trocaram cartas, sendo a última em 1932. Somente em 1950 é que se reencontraram na Alemanha. Hannah tomou a iniciativa de procurá-lo, e quando os dois se olharam, o tempo parecia ter voltado a 1925. E ali tiveram a certeza de que para o coração, o tempo decididamente não passa. Esse contato com alguns encontros e cartas permaneceu, embora com intervalos extensos de silêncio, se perpetuou além da morte de Hannah em dezembro de 1975. Esse amor intemporal ficou guardado no coração e na memória do filósofo até a sua morte em maio de 1976 – concluiu Joan.

Martina estava apaixonada pela história de Hannah e Heidegger, isso porque nem imaginava a produção intelectual desses dois grandes pensadores da humanidade. Olhava para Joan, refletindo sobre o que acabara de ouvir numa imersão profunda de pensamentos, e nem se deu conta que já tinham alcançado a porta.

Joan a abraçou e disse ao seu ouvido:

– Tenha um lindo dia. Não esqueça que para o coração o tempo não passa, por isso estarei aqui amanhã, no mesmo horário para nossa última reflexão peripatética.

Martina consentiu em silêncio. Eles foram se afastando e lentamente seguiram para suas salas de aula.

A turma de Martina estava agitada naquele dia, perturbados pelas provas de fim de semestre. Alguns alunos precisavam de notas altas para não ter de fazer o exame final. Martina, sensível a toda aquela situação de tensão, sugeriu que, desde que fizessem silêncio, poderiam utilizar a aula para estudar outras disciplinas, e que ela ficaria para tirar dúvidas, caso alguém estivesse com dificuldade para a prova de sua matéria. Os alunos agradeceram com aplausos e já se compenetravam entre cadernos, livros e anotações.

Martina ficou sentada numa cadeira bem no fundo da sala e, entre a dúvida de um e de outro aluno, viajava na reflexão do dia com a linda história de amor de Hannah Arendt e Martin Heidegger. Mesmo sendo intelectuais, não poderiam racionalizar o que sentiram um pelo outro durante toda a vida. Era espetacular imaginar um sentimento assim, diferente dos dias atuais, em que o romantismo se tornou coisa do passado.

Ela e Joan não sabiam lidar com o que estava acontecendo. Tinham uma vontade descontrolada de ficar por perto um do outro, mesmo que fosse só para se olharem a distância. Lembrar que no dia seguinte seria a última caminhada dos dois tirava a paz deles. Certamente, já se preparavam para mais uma noite sem dormir, em especial para Martina, que ainda cumpriria um plantão até a madrugada.

Décima caminhada

PABLO NERUDA: UM POETA SOCIALISTA DO AMOR

Descobri nesse novo meu eu, que o lençol da poesia é o tempo, e que só somos donos dele, quando ele se esquece da gente.

Jorge Ferreira

Chegou, enfim, a última reflexão em movimento conforme Joan e Martina tinham combinado. Durante o caminho para a universidade, Martina, ansiosa, pensava sobre o que viria entre os passos peripatéticos de Joan. Naquele último dia, ao contrário dos outros, Joan chegou depois dela. Dessa vez, era ela quem o esperava seguindo com os olhos sua chegada até ele desligar o carro.

Joan foi até o porta-malas e pegou o violão, o que só aumentava a curiosidade de Martina. Dirigiu-se a ela com os braços abertos. Após um longo abraço, disse:

– Chegamos à décima e última reflexão, espero que tenha gostado.

Ela nem parou para pensar, e logo respondeu:

– Foi maravilhoso, dez dias para uma vida toda. Adorei, mudou a minha forma de pensar e ver muitas coisas, saí da minha zona de conforto com relação aos meus olhares sobre a vida, em especial sobre os sentimentos e as percepções do cotidiano, consumidos pela rotina, perdemos a oportunidade de conhecer e observar belezas escondidas. Muito obrigada por essa oportunidade.

Joan, absorvido pela proximidade, tocou a face dela com um gesto de carinho. A sensação era de que estava exatamente no local onde a terra beija o sol. Pegou o violão e disse:

– Hoje faremos uma reflexão muito especial. Falaremos de poesia, e nada melhor do que nos debruçarmos sobre Pablo Neruda. Em alguns momentos, usarei a música como fundo da fala, para avivar esse grande poeta do amor. Você deve conhecer a história de Neruda, em especial por sua trajetória política aqui no Chile. Quando nascemos, ele já estava em nossos livros de História. Mas para falar de Pablo, é necessário estar em conexão com algo que vai além do homem Neruda, do socialista combativo, perseguido, boêmio, de personalidade forte e adorador da alma feminina. Temos que encontrar sentido também em suas causas sociais, como a poesia o fez dar sentido a sua luta contra a tirania, o fascismo, a intolerância e a injustiça social. Perceba esse poema harmonizado com a sonoridade do violão, pois Neruda, em seus recitais, fazia com que todos pudessem sentir na alma, um som ritmado como uma música ao entrar pela nossa audição. Ouça esse trecho:

Posso escrever os versos mais tristes esta noite,
Escrever, por exemplo: A noite está estrelada
e tremer, as estrelas são azuis na distância
e o vento da noite gira no céu e canta.
Posso escrever os versos mais tristes esta noite.

Era um espetáculo poético que Joan lhe apresentava. Martina se sentia feliz por tudo aquilo. Entre notas no violão e o recitar de cada verso, Joan fazia com que eles só estivessem ali fisicamente, pois, com alma e coração, estavam imersos numa viagem interna, irradiados pelo encantamento, que depois de apenas dez dias chegava naquele momento.

Após concluir o poema, Joan pegou nas mãos de Martina e pediu para que ela olhasse nos olhos dele, e disse:

– Martina, esses últimos dez dias da minha vida foram muito importantes pra mim. Foram momentos rápidos, mas intensos, que nunca mais esquecerei. Mas antes de terminar, considerando o pouco tempo das nossas caminhadas, minutos esses que nos aprisionam no tempo cronológico e que não chega nem perto do tempo do coração, pois esse, além de não passar, nos deixa livres. Quero que isso tudo que refletimos em todos esses dias não pare por aqui, mesmo que não nos encontremos mais após o término do semestre na próxima semana, ou que passemos a vida toda só trocando cartas ou nos conectarmos somente pela memória, que possamos em todo o tempo, aconteça o que acontecer, ser caminhantes da alma e do coração, apenas peripatéticos.

Martina, emocionada, não conseguia expressar nenhuma palavra, só o olhava. Era uma sensação de despedida que queimava o coração.

– Sendo assim, vou recitar o meu poema favorito de Neruda, que foi um poeta além do seu tempo, não só na arte de conhecer as pessoas, mas em ler a alma humana de uma forma sem precedentes.

Iniciando com leve dedilhada pelas cordas do violão, recitou o poema *O vento na ilha*, pedindo a ela que, assim como no verso inicial, que diz "O vento é um cavalo: ouve como corre pelo mar, pelo céu", se lembrasse das caminhadas como o vento que afagava a face deles, e que mesmo não podendo vê-lo, ele estava ali dando a sensação mais verdadeira de que estavam vivos.

E ao término do lindo recital, feito com todos os requintes de um sarau, especialmente para Martina, Joan emendou a música que por muito tempo, não entendia o quanto o tocava quando a ouvia. Aproximou-se dela com os lábios à sua frente, olhos nos olhos, e concluiu embalado por uma serenidade que se revelava em sua voz, cantando para ela:

Que estou apaixonado
que esse amor é tão grande,
Que estou apaixonado
e só penso em você a todo instante.

Com cuidado, Joan pegou as mãos dela, afagou sua face e com um beijo em sua testa, se despediu sem mais nenhuma palavra. Foi caminhando com o violão nas costas enquanto Martina não saía do lugar, ficando imóvel por um bom tempo. Só conseguia identificar o vento em seu rosto, dando a ela uma sensação de absoluta e tenra calmaria.

O toque do seu telefone celular a despertou para a realidade. Viu no identificador que era do hospital. E quando atendeu a ligação, do outro lado, alguém lhe comunicou algo que o seu semblante denunciou uma tristeza imediata. Sentou-se num banco lateral à entrada do prédio principal e, depois de desligar o telefone, só conseguia se lembrar de uma frase:

"Deus estava ali..."

Conheça outros livros de Fernando Moraes

A Arte de Pertencer

Em tempos modernos, as relações sociais se referenciam passa a se definir pelo que se "tem" e não pelo que se "é". *A Arte de Pertencer* é um livro que faz pensar. O simples fato de ser parte de um lugar "humano" desperta a sensação de viver em uma comunidade, com o poder de interferir e participar ativamente na construção de um Novo Estado de Convivência Social.

Uma reflexão comprometida com as coisas que fazem a vida valer a pena. E cada vez mais pelas redes virtuais e pelos códigos de consumo.

Diante da força do Ter pelo Ter, o Ser se esvazia. Tudo.

Disponível em livro e e-book

Renovo: o poder de se reinventar

Atitudes positivas, reconhecimento por um feito artístico, envolvimento cognitivo com o que se gosta e o que se faz bem. Essas são algumas atitudes que fazem parte do Renovo.

O Renovo nos dá a possibilidade de fazer melhor, de ter esperança, de transformar o estado de fatalidade em felicidade – mesmo que seja momentânea. É preciso se reinventar para que aconteça a mudança de vida. O Renovo pode, e deve, fazer parte da vida de todos. Superar o que não serve mais e construir hábitos importantes, cada vez mais presentes.

A transformação vem de dentro. É essencial querer mudar, procurar a renovação interna com inspirações que vêm de fora.

Pense nisso. Renove-se. Inspire-se. Mude.

Disponível em livro e e-book

Saiba mais sobre a Editora Novo Conceito
acessando o site:

www.editoranovoconceito.com.br

Não quer perder nenhuma notícia da Editora Novo Conceito?
Visite nossas redes sociais e fique por dentro dos lançamentos e novidades.
Você ainda pode participar de sorteios e fóruns de discussão de livros.

www.grupoeditorialnovoconceito.com.br
www.grupoeditorialnovoconceito.com.br/blog/
Facebook.com/editoranc
Twitter.com/novo_conceito
Instagram.com/novo_conceito
Skoob.com.br/novo_conceito
Youtube.com/editoranc
Pinterest.com/editoranc

Editora Novo Conceito
Rua Dr. Hugo Fortes, 1885 - Pq. Industrial Lagoinha
Ribeirão Preto/SP • Brasil • 14095-260
+55 16 3512.5500
contato@nceditora.com.br